D1086970

EL MUNDO SEGÚN BOB

JAMES BOWEN

EL MUNDO
SEGÚN BOB

Las nuevas aventuras del astuto
gato callejero y su amigo

Traducción del inglés
Paz Pruneda

la esfera ⊕ de los libros

Primera edición: mayo de 2017
Tercera edición: noviembre de 2018

Cualquier forma de reproducción, distribución, comunicación pública o transformación de esta obra solo puede ser realizada con la autorización de sus titulares, salvo excepción prevista por la ley. Diríjase a CEDRO (Centro Español de Derechos Reprográficos, *www.cedro.org*) si necesita fotocopiar o escanear algún fragmento de esta obra.

Título original: *The World According to Bob*, publicado con licencia de Hodder & Stoughton, una división de Hachette UK
© James & Bob Limited and Connected Content Limited, 2013
© De la traducción: Paz Pruneda, 2014
© La Esfera de los Libros, S. L., 2014
Avenida de San Luis, 25
28033 Madrid
Tel.: 91 296 02 00
www.esferalibros.com

Ilustraciones de interior: © Dan Williams, Hachette UK
ISBN: 978-84-9164-060-8
Depósito legal: M-14.342-2017
Impresión: Anzos
Encuadernación: De Diego
Impreso en España-*Printed in Spain*

ÍNDICE

Capítulo 1. El vigilante nocturno 13

Capítulo 2. Nuevos trucos 25

Capítulo 3. El Bobmóvil 39

Capítulo 4. La extraña pareja 53

Capítulo 5. El fantasma de la escalera 65

Capítulo 6. El inspector de basuras 75

Capítulo 7. El gato sobre un tejado de Hoxton 87

Capítulo 8. No hay peor ciego 101

Capítulo 9. Bob y la gran marcha 117

Capítulo 10. Historia de dos ciudades 127

Capítulo 11. Dos tíos guays 147

Capítulo 12. La alegría de Bob 165

Capítulo 13. Enemigo público nº 1 181

Capítulo 14. Orgullo y prejuicio 191

Capítulo 15. Tú vas a ser quien me salve 201

Capítulo 16. Doctor Bob 219

Capítulo 17. Instintos básicos 227

Capítulo 18. Esperando a Bob 239

Epílogo. Siempre 247

Agradecimientos 257

*Para todos aquellos que dedican sus vidas
a ayudar a personas sin hogar
y animales en peligro.*

Hay algo en la compañía de un gato…
que parece dar un mordisco a la soledad.

LOUIS CAMUTI

Si el hombre pudiera cruzarse con el gato, eso
mejoraría al hombre pero deterioraría al gato.

MARK TWAIN

CAPÍTULO 1

El vigilante nocturno

Era uno de esos días en los que si algo podía salir mal, saldría mal.

Todo empezó cuando la alarma de mi despertador no sonó y me quedé dormido, lo que significaba que mi gato Bob y yo ya llegábamos tarde cuando nos subimos al autobús cerca de mi casa en Tottenham, al norte de Londres, en dirección a Islington, donde vendo *The Big Issue*, la revista de los sin techo. Apenas llevábamos cinco minutos de trayecto cuando las cosas se pusieron de mal en peor.

Bob estaba sentado en su posición habitual, medio dormido en el asiento al lado del mío cuando, de repente, alzó la cabeza y empezó a mirar alrededor con expresión de sospecha. En los dos años desde que lo conozco, la habilidad de Bob para olfatear los problemas ha sido prácticamente infalible. En pocos segundos, el autobús se llenó de un olor acre a quemado y el asustado conductor anunció que nuestro viaje se había «terminado» y que todos debíamos apearnos «inmediatamente».

No era desde luego la evacuación del *Titanic*, pero el autobús llevaba tres cuartas partes de su pasaje por lo que se produjo un gran caos de empujones y forcejeos. Bob no parecía tener prisa, así que dejamos que se pelearan y fuimos de los últimos en bajar, lo que, como después pude apreciar, fue una sabia decisión. Puede que el interior del autobús oliera fatal, pero al menos estaba calentito.

Nos habíamos detenido frente al solar de un edificio en construcción y un viento gélido se colaba a ráfagas a través del espacio vacío. A pesar de las prisas por salir de casa, me alegré de haber abrigado el cuello de Bob con una gruesa bufanda de lana.

El incidente resultó ser solamente un motor sobrecalentado, pero el conductor tenía que esperar a que apareciera un mecánico de la compañía para arreglarlo. Así que, entre los gruñidos y las quejas, alrededor de dos docenas de personas estuvimos esperando en el gélido pavimento durante casi media hora mientras llegaba un autobús de reemplazo.

El tráfico a esa hora avanzada de la mañana era terrible, así que para cuando Bob y yo llegamos finalmente a nuestro destino, Islington Green, llevábamos en la calle más de hora y media. Se nos había hecho realmente tarde. Me perdería la hora punta de la comida, uno de los momentos más lucrativos para vender la revista.

Como de costumbre, el paseo de cinco minutos hasta nuestro puesto junto a la estación del metro de Angel estuvo lleno de parones. Siempre ocurría lo mismo cuando Bob venía conmigo. A veces lo llevaba atado con una correa de cuero, pero lo más frecuente es que fuera encaramado a mis hombros mientras contemplaba el mundo con curiosidad, como un vigía desde el puesto de observación en la proa de un barco. Desde luego, no era algo que la gente estuviera acostumbrada a ver a diario, de modo que normalmente no podíamos dar ni tres pasos sin que alguien quisiera saludar y acariciar a Bob, o sacar una foto. Y no es que me molestase. Bob era un compañero carismático y llamativo y sabía que atraía la atención, siempre que esta fuera amistosa. Lamentablemente eso era algo que no se podía garantizar.

La primera persona en pararnos fue una señora rusa bajita que evidentemente tenía tan poca idea de tratar a los gatos como yo de recitar poesía rusa.

—¡Oh, *koschka*, qué bonito! —dijo abordándonos en el pasaje de Camden, un callejón plagado de restaurantes, bares y tiendas de antigüedades que recorre la parte sur de Islington Green. Me paré para que pudiera saludarlo como es debido, pero ella inmediatamente estiró el brazo y trató de acariciar a Bob en el morro. No fue un movimiento muy astuto.

La inmediata reacción de Bob fue rechazarla, sacando una enfurecida garra y soltando un sonoro y enfático maullido. Afortunadamente no llegó a arañar a la señora, aunque la dejó un tanto temblorosa, por lo que tuve que dedicar varios minutos a asegurarme de que estaba bien.

—Es bien, es bien. Solo quería ser amiga —contestó la dama, pálida como una sábana. Era bastante mayor y me preocupaba que pudiera desplomarse allí mismo a causa de un ataque al corazón.

—Nunca debe hacerle eso a un animal, señora —le expliqué, sonriendo y tratando de ser lo más amable posible—. ¿Cómo reaccionaría usted si alguien tratara de ponerle las manos en la cara? Ha tenido suerte de que no le arañara.

—No quería disgustarle —alegó.

Sentí lástima por ella.

—Está bien, vosotros dos vais a intentar ser amigos —dije, tratando de actuar como mediador.

Al principio Bob se resistió. Había tomado una decisión. Pero poco a poco fue cediendo, permitiendo que ella le pasara la mano, muy suavemente, por la parte de atrás del cuello. La señora, que no dejaba de deshacerse en disculpas, no parecía querer marcharse nunca.

—Lo siento mucho, lo siento mucho —repetía.

—No pasa nada —repuse, desesperado por continuar la marcha.

Cuando por fin nos soltó y pudimos llegar hasta la boca de la estación del metro, coloqué mi mochila en el suelo para que Bob pudiera tumbarse en ella —nuestra rutina habitual—, y luego me dispuse a sacar la pila de revistas que había comprado en el puesto del coordinador de *The Big Issue* de Islington Green el día anterior. Me había impuesto el objetivo de vender al menos dos docenas ese día, porque, como de costumbre, necesitaba dinero.

Muy pronto empecé a sentirme frustrado.

Unas amenazantes y plomizas nubes habían estado desplazándose por Londres desde media mañana y antes de que pudiera vender un solo ejemplar, los cielos se abrieron, obligándonos a Bob y a mí a refugiarnos unos pocos metros más abajo de nuestro puesto, en un pasaje subterráneo cerca de un banco y de algunos edificios de oficinas.

Bob es una criatura resistente, pero odia especialmente la lluvia, sobre todo cuando es fría y gélida como era la de ese día. Da la impresión de que se encoge en ella. Su brillante pelaje color mermelada de naranja también parece volverse un poco más gris y menos llamativo. Así que, como era de esperar, hubo menos personas de lo habitual que quisieran acercarse para hacerle carantoñas, por lo que también vendí menos revistas que de costumbre.

Como la lluvia no daba muestras de querer cesar, Bob enseguida dejó muy claro que no quería seguir allí. No paraba de fulminarme con la mirada y, como una especie de erizo pelirrojo, se hizo una bola. Yo había captado el mensaje, pero conocía la realidad. El fin de semana se acercaba y necesitaba sacar el suficiente dinero para poder ir tirando los dos. Sin embargo, mi montón de revistas aún seguía siendo tan grueso como cuando llegué.

Por si el día no fuera lo suficientemente malo, a media tarde un joven policía uniformado empezó a incordiarnos. No era la primera vez y sabía que no sería la última, pero hoy no era el día propicio. Conozco bien la ley y sabía que tenía todo el derecho a vender revistas ahí. Llevaba mi tarjeta de identificación como vendedor y, salvo que estuviera causando un alboroto público, podía vender revistas en ese lugar desde el alba hasta el atardecer. Lamentablemente, él no parecía tener nada mejor que hacer e insistió en registrarme. No lograba imaginar lo que pensaba encontrar, presumiblemente drogas o alguna arma peligrosa, pero no encontró ninguna de las dos cosas.

No contento con eso, empezó a hacerme preguntas sobre Bob. Le expliqué que estaba legalmente registrado a mi nombre y que llevaba su microchip. Eso pareció empeorar su humor y se alejó con una mirada casi tan sombría como el tiempo.

Hubiera aguantado durante un par de horas más, pero en cuanto empezó a atardecer, en esa hora en que los ejecutivos se han marchado a casa y las calles empiezan a llenarse con bebedores y chicos buscando problemas, decidí marcharme de allí.

Estaba desalentado; apenas había vendido diez revistas, sacando solo una parte de lo que normalmente solía conseguir. Había vivido demasiado tiempo a base de judías en lata en oferta y pan de molde aún más barato como para saber que no me moriría de hambre. Tenía suficiente dinero para pagar el gas y la electricidad y comprar una o dos tarrinas de comida para Bob. Pero eso probablemente significaba que tendría que salir a trabajar también durante el fin de semana, algo que no tenía previsto hacer, sobre todo porque habían anunciado más lluvias y yo mismo me encontraba un poco resfriado.

Cuando me monté en el autobús de vuelta a casa, pude sentir los primeros síntomas de gripe corriendo por mis huesos. Me dolía el cuerpo y tenía violentos sofocos. Genial, esto es justo lo que necesito, pensé hundiéndome aún más en mi asiento y tratando de dar una cabezadita.

En ese momento, el cielo se había vuelto de un azul profundo y las farolas iluminaban la calle con toda su potencia. Hay algo en la noche de Londres que siempre ha fascinado a Bob. Mientras entraba y salía de mi somnolencia, permaneció mirando por la ventanilla, perdido en su propio mundo.

El tráfico de vuelta a Tottenham era tan denso como lo había sido por la mañana y el autobús apenas avanzaba a paso de caracol. En alguna parte pasado Newington Green debí quedarme completamente dormido.

Me desperté sintiendo que algo me golpeaba suavemente en la pierna y notando el roce de unos bigotes en mi mejilla. Abrí los ojos y me encontré la cara de Bob muy cerca de la mía, a la vez que me daba golpecitos en la rodilla con su pata.

—¿Qué pasa? —le pregunté ligeramente atontado.

Él ladeó la cabeza como señalando hacia la parte delantera del autobús. Luego hizo amago de saltar del asiento al pasillo, lanzándome miradas de preocupación mientras lo hacía.

¿Adónde crees que vas?, estuve a punto de preguntarle. Entonces miré hacia la calle y comprendí dónde estábamos.

—Oh, mi★★da —exclamé, saltando fuera de mi asiento inmediatamente.

Agarré mi mochila y apreté el botón de parada justo a tiempo. Treinta segundos después y habría sido demasiado tarde. Si no hubiera sido por mi pequeño vigilante nocturno, nos habríamos pasado nuestra parada de autobús.

De camino a casa entré en el pequeño supermercado que abre hasta medianoche de la esquina de nuestra calle y compré un remedio barato contra la gripe. También adquirí algunas chucherías y un lote de la comida de pollo favorita de Bob —era lo menos que podía hacer, después de todo—. Había sido un día asqueroso y hubiera sido muy fácil compadecerme de mí mismo. Pero, de vuelta en el calor de mi pequeño apartamento de un dormitorio, observando a Bob engullir la comida, comprendí que, en realidad, no tenía ningún motivo para quejarme. Si me hubiera quedado dormido en el autobús más tiempo, habría podido acabar fácilmente a muchos kilómetros de casa. Miré por la ventana y advertí que el tiempo estaba, si es que eso era posible, empeorando aún más. De haber estado fuera con esta lluvia habría podido coger algo peor que una leve gripe. Había tenido suerte de escapar.

Sabía, también, que la suerte me había sonreído en otra cuestión más importante. Hay un viejo dicho según el cual un hombre sabio es alguien que no se lamenta por las cosas que no tiene, sino que da las gracias por las cosas buenas que tiene.

Después de cenar, me senté en el sofá, envuelto en una manta y bebiendo un ponche caliente hecho con miel, limón y agua hirviendo al que añadí un chorrito de whisky de una vieja muestra que tenía por casa. Miré a Bob roncando feliz en su sitio favorito junto al radiador, los problemas de las primeras horas del día olvidados hacía tiempo. En ese instante se le veía totalmente feliz. Me dije que debería ver el mundo de la misma forma y que en este momento de mi vida había muchas cosas buenas por las que sentirme agradecido.

Habían transcurrido algo más de dos años desde que encontré a Bob seriamente malherido en el vestíbulo de este mismo bloque de apartamentos. Cuando lo distinguí en la escasa luz del vestíbulo, parecía que hubiera sido atacado por otro animal. Tenía heridas en la parte de atrás de las patas y en el cuerpo.

Al principio creí que pertenecía a otra persona, pero —después de verle en el mismo lugar durante varios días— lo llevé a mi piso y lo cuidé hasta que se restableció. Tuve que gastar prácticamente todo el dinero que tenía en comprarle medicinas, pero valió la pena. Disfruté mucho de su compañía y entre nosotros se creó un vínculo instantáneo.

Por entonces creía que sería una relación corta. Parecía un gato callejero, así que supuse que volvería a las calles. Pero él se negó a apartarse de mi lado. Todos los días lo llevaba fuera y trataba de que siguiera su camino, y todos los días me seguía calle abajo o se colaba en el vestíbulo por la tarde, invitándose a pasar la noche conmigo. Dicen que los gatos te eligen, y no al contrario. Yo comprendí que él me había elegido cuando, un día, me siguió hasta la parada del autobús de Tottenham High Road, a casi un kilómetro y medio. Estábamos lejos de casa cuando le hice gestos con las manos para que se fuera y esperé hasta que desapareció entre la bulliciosa muchedumbre, imaginando que esa sería la última vez que lo veía. Sin embargo, cuando el autobús se acercó, él surgió de alguna parte, y vi una ráfaga naranja subir a bordo y acomodarse en el asiento de mi lado. Y eso fue todo.

Desde entonces nos habíamos hecho inseparables, una pareja de almas perdidas ganándose la vida en las calles de Londres.

En realidad, sospecho que éramos almas gemelas, cada una ayudando a la otra a curar las heridas de nuestros turbulentos pasados. Yo le había dado a Bob compañía, alimentos y un lugar caliente donde reposar la cabeza por la noche y, a cambio, él me había aportado una nueva esperanza y un propósito para vivir. Había bendecido mi vida con lealtad, cariño y humor, así como un sentido de la responsabilidad que nunca antes había tenido. Además me había dado nuevas metas y ayudado a ver el mundo con mucha más claridad de lo que lo había estado haciendo durante mucho, mucho tiempo.

Durante más de una década había sido drogadicto, durmiendo en portales y refugios para los sin techo o en precarios alojamientos por todo Londres. Durante gran parte de esos años perdidos no fui consciente del mundo, inmerso como estaba en la heroína, anestesiado de la soledad y el dolor de cada día.

Como cualquier persona sin techo, me volví invisible en lo que respecta a la mayoría de la gente. En consecuencia, me olvidé de cómo funciona el mundo real y cómo interactuar con la gente en un montón de situaciones. En cierto sentido, me había deshumanizado. Estaba muerto para el mundo. Con la ayuda de Bob, estaba lentamente regresando a la vida. Había dado importantes pasos para eliminar mi drogadicción, desintoxicándome primero de la heroína y, luego, de la metadona. Aún tomaba medicación, pero podía ver la luz al final del túnel y esperaba quedar limpio muy pronto.

No fue una travesía fácil, todo lo contrario. Nunca lo es cuando un drogadicto trata de recuperarse. Aún tenía la costumbre de dar dos pasos hacia adelante y uno hacia atrás y, en ese aspecto, trabajar en las calles no me ayudaba. No era precisamente un entorno que se destacara por la ternura humana. Los problemas estaban siempre acechando a la vuelta de la esquina, o al menos parecían estarlo para mí. Tengo un don para atraerlos. Siempre me ha pasado.

La verdad es que estaba desesperado por apartarme de esas calles y dejar atrás esa parte de mi vida. No tenía ni idea de cuándo o cómo eso sería posible, pero estaba decidido a intentarlo.

Por el momento, lo importante era apreciar lo que tenía. Puede que para los estándares de la mayoría de la gente no fuera gran cosa. Nunca había tenido demasiado dinero ni vivido en un ostentoso apartamento o poseído un coche. Pero mi vida estaba en una situación mucho mejor de la que había estado en un pasado reciente. Tenía mi apartamento y mi trabajo de vendedor de *The Big Issue*. Por primera vez en años iba en la buena dirección —y tenía a Bob para ofrecerme su amistad y guiarme por el buen camino.

Mientras me levantaba y me dirigía a la cama para acostarme pronto, me agaché y le acaricié suavemente en el cogote.

—¿Dónde demonios estaría yo sin ti, pequeño compañero?

CAPÍTULO 2

Nuevos trucos

Todos somos animales de costumbres y Bob y yo no somos una excepción. Nuestros días empiezan con una rutina sencilla. Algunas personas comienzan la mañana escuchando la radio, otras haciendo sus ejercicios o con una taza de té o café. Bob y yo empezamos la nuestra jugando juntos.

En cuanto me despierto y me incorporo en la cama, él sale disparado de su cojín en la esquina del dormitorio, viene a mi lado de la cama y me mira inquisitivamente. Casi inmediatamente empieza a ronronear, como el sonido sordo de un teléfono. *Brrrr, brrrr.*

Si eso no consigue atraer toda mi atención, entonces prueba a hacer otro ruido, uno ligeramente más lastimero y suplicante, una especie de *guaaah*. Algunas veces clava sus garras en el lateral del colchón y se sube a la cama quedando prácticamente a la altura de mis ojos.

Entonces lanza una pata en mi dirección, como si quisiera darme un codazo para que reconociera su mensaje: ¡no me ignores! Llevo siglos despierto y estoy hambriento, así que ¿dónde está mi desayuno? Si mi respuesta es demasiado lenta, a veces intensifica su amistosa ofensiva, actuando a lo «Gato con Botas», que es como lo he bautizado. Al igual que el personaje de las películas de *Shrek*, se queda erguido en el colchón, mirándome con sus grandes ojos verdes muy abiertos. Es una mirada desgarradora y totalmente irresistible. Siempre me hace sonreír. Y siempre funciona.

En el cajón de mi mesilla guardo siempre un paquete de sus galletas favoritas. Dependiendo de cómo me encuentre, le dejo subirse a la cama para hacerle arrumacos y darle un par de golosinas o, si estoy con ganas de jugar, se las lanzó a la moqueta para que las atrape. A menudo empleo los primeros minutos del día en lanzar sus galletitas por todas partes, mirando cómo las encuentra. Los gatos son criaturas sorprendentemente ágiles y Bob muchas veces suele interceptarlas a mitad de vuelo, como un jugador de *cricket* o de baloncesto atrapando la bola fuera de su campo. Da un ágil salto y las atrapa entre sus garras. Incluso ha llegado a cazarlas directamente con la boca un par de veces. Es todo un espectáculo.

En otras ocasiones, si estoy cansado o no tengo ganas de jugar, él se entretiene solo.

Una mañana de verano, por ejemplo, yo estaba tumbado en la cama viendo la programación matinal de la televisión. Tenía todo el aspecto de ser uno de esos días realmente tórridos y, más aún, en mi caluroso apartamento de la quinta planta del edificio.

Bob estaba hecho una rosca en un rincón en sombra del dormitorio, aparentemente dormido como un tronco. O eso creí.

De pronto se incorporó, saltó sobre la cama y, como si la utilizara de trampolín, se abalanzó sobre la pared detrás de mí, golpeándola fuertemente con sus patas.

—Bob, ¿qué demonios haces? —protesté alucinado. Miré la colcha y vi un pequeño ciempiés que yacía inmóvil. Bob lo estaba vigilando, claramente dispuesto a metérselo en la boca.

—Oh, no, no lo hagas, colega —le advertí, sabiendo que los insectos pueden ser venenosos para los gatos—. No sabes dónde ha estado.

Me lanzó una mirada como queriendo decir: menudo «aguafiestas».

Siempre me ha asombrado la velocidad de Bob, su fuerza y condiciones atléticas. Alguien me sugirió una vez que debía estar emparentado con un Maine Coon,[*] un lince o algún tipo de gato salvaje. Es muy posible. El pasado de Bob continúa siendo todo un misterio para mí. No sé qué edad tiene ni conozco nada de la vida que llevó antes de que le encontrara. A menos que le haga una prueba de ADN, nunca sabré de dónde proviene o quiénes fueron sus padres. Y para ser sinceros, no me importa. Bob es Bob y eso es todo lo que necesito saber.

Pero yo no era el único que había aprendido a querer a Bob por su colorista e imprevisible forma de ser.

Era la primavera de 2009 y, para entonces, Bob y yo llevábamos vendiendo la revista *The Big Issue* desde hacía más de un año. Inicialmente tuvimos un puesto en la entrada del metro de Covent Garden, en el centro de Londres. Pero nos trasladamos a Angel, en Islington, donde nos habíamos hecho un hue-

---

[*] Raza de gato originaria de Estados Unidos cuyos machos pueden llegar a pesar hasta once kilos. *(N. de la T.)*.

co y Bob se había granjeado un pequeño pero entregado grupo de admiradores.

Hasta donde yo sabía, éramos el único equipo humano/felino que vendía *The Big Issue* en Londres. Pero incluso si existía algún otro, sospechaba que sus colegas felinos no eran competencia para Bob cuando se trataba de atraer —y complacer— a una multitud.

Durante nuestros primeros días juntos, cuando yo era un cantante callejero que tocaba la guitarra y cantaba, él se sentaba muy quieto, como un Buda, contemplando el mundo funcionar a su aire. La gente se quedaba fascinada —y creo que incluso un poco hipnotizada— y se paraba para acariciarlo y hablar con él. A menudo nos preguntaban por nuestra historia y tenía que contarles cómo nos habíamos conocido y formado nuestra asociación. Pero eso era todo.

Sin embargo, desde que empezamos a vender *The Big Issue*, Bob se había vuelto mucho más activo. A menudo me sentaba en la acera para jugar con él y habíamos empezado a desarrollar algunos trucos.

Todo comenzó con Bob entreteniendo a la gente por su cuenta. Le encantaba jugar, así que solía llevarme pequeños juguetes que él lanzaba lejos y atrapaba. Su favorito era un pequeño ratoncito gris que, originalmente, había estado lleno de valeriana.

El ratón había dejado de tener cualquier rastro de valeriana hacía mucho tiempo y ahora mostraba un aspecto ajado y deslucido bastante patético. Sus costuras habían empezado a deshacerse y, aunque siempre había sido gris, su color se había oscurecido hasta un sucio tono negruzco. Bob tenía un montón de juguetes, algunos de los cuales eran regalo de sus admiradores. Pero el «vapuleado ratón», como yo lo llamaba, seguía siendo su favorito.

Cuando nos sentábamos junto a la estación de metro de Angel, él lo agarraba con la boca, sacudiéndolo de un lado a otro. Algunas veces lo hacía dar vueltas sosteniéndolo por la cola y lo soltaba de forma que cayera un poco más lejos para luego volver a atraparlo y comenzar todo el proceso de nuevo. A Bob le encantaba cazar ratones de verdad, así que, obviamente, estaba imitando ese comportamiento. Eso siempre conseguía parar a la gente que pasaba por ahí, e incluso presencié como algunos se quedaban casi diez minutos contemplándole, como hipnotizados por Bob y su juego.

Más por aburrimiento que por otra cosa, empecé a jugar con él en la acera. Para empezar simplemente jugábamos a darnos la mano. Yo le tendía la mía y Bob extendía su pata para tocarla. Solo estábamos reproduciendo lo que hacíamos en casa, pero a la gente parecía gustarle. Se paraban constantemente para mirarnos y, a menudo, sacaban fotos. Si me hubieran dado una libra por cada vez que alguien —generalmente una mujer— se detenía exclamando algo como «ah, qué monada» o «es adorable», me hubiera hecho lo suficientemente rico como para no tener que volver a sentarme en la acera nunca más.

Congelarse el trasero en las calles no es precisamente divertido, así que mi tiempo de juego con Bob se convirtió en algo más que un simple entretenimiento para las hordas de paseantes. Me ayudaba a pasar el tiempo y a hacer más entretenidas las horas. Y no podía negarlo: también animaba a la gente a comprar ejemplares de la revista. Esa era otra de las cosas buenas con las que Bob me había bendecido.

A estas alturas pasábamos tantas horas ante las puertas del metro de Angel que comenzamos a perfeccionar aún más nuestra actuación.

A Bob le encantaban sus golosinas y me había dado cuenta de que era capaz de hacer cualquier cosa con tal de conseguirlas. De modo que si, por ejemplo, yo sostenía una pequeña galleta a unos noventa centímetros por encima de su cabeza, él se alzaba sobre sus patas traseras tratando de quitarme la golosina de las manos. Envolvía sus patas alrededor de mi muñeca para equilibrarse, y luego soltaba una pata e intentaba atraparla.

Como era de prever, aquello había causado un gran revuelo. Ahora debía de haber cientos de personas caminando por las calles de Londres con imágenes de Bob en sus teléfonos y cámaras tratando de tocar el cielo.

Últimamente habíamos conseguido desarrollar el truco todavía más. La firmeza con que se aferraba a mis brazos para alcanzar la golosina era tan fuerte como una abrazadera. Así que, de vez en cuando, decidía levantar el brazo lenta y suavemente en el aire hasta que él se quedaba colgando a unos centímetros del suelo.

Así aguantaba algunos segundos, hasta que se dejaba ir y caía o bien yo lo depositaba de nuevo en tierra. Por supuesto siempre me aseguraba de que fuera un aterrizaje suave, por lo que normalmente solía poner mi mochila debajo.

Cuanto más espectáculo ofrecíamos, más gente parecía responder y más generosa se volvía su respuesta, no solo comprando *The Big Issue*.

Desde nuestros primeros días en Angel, la gente había sido increíblemente amable, dejando golosinas y aperitivos no solo para Bob, sino también para mí. Pero además también empezaron a ofrecernos otras cosas como ropa, a menudo tejida o cosida por ellos.

Bob poseía ya una genuina colección de bufandas de todas clases y colores. En realidad tenía tantas que me estaba quedando sin sitio para guardarlas. ¡Debía de tener dos docenas o más! Se había hecho rápidamente tan adicto a las bufandas como Imelda Marcos a los zapatos.

En ocasiones resultaba un tanto abrumador saber que éramos objeto de tanto cariño, apoyo y amor. Pero ni un solo momento dejé de pensar que había otros muchos cuyos sentimientos hacia nosotros eran bien distintos. Y no andaban muy lejos...

Estábamos acercándonos al momento más bullicioso de la semana, la hora punta del viernes por la tarde, y la muchedumbre que entraba y salía por la boca del metro de Angel se hacía más densa por minutos. Mientras rondaba por la calle tratando de vender mi pila de ejemplares, Bob estaba totalmente ajeno al barullo, moviendo alegremente su cola con aire distraído, tumbado sobre mi mochila colocada en la acera.

No fue hasta que las cosas se calmaron, hacia las siete de la tarde, cuando advertí a una mujer parada a pocos metros de nosotros. No tenía idea de cuánto tiempo llevaría allí, pero estaba mirando fija y casi obsesivamente a Bob.

Por la forma en que murmuraba para sí misma, sacudiendo la cabeza de un lado a otro de cuando en cuando, percibí que, de alguna manera, nos desaprobaba. No tenía la más mínima intención de entablar conversación con ella, ya que estaba demasiado ocupado tratando de vender los últimos ejemplares de la revista antes del fin de semana.

Lamentablemente, ella tenía otras intenciones.

—Jovencito, ¿no ve que ese gato está sufriendo? —dijo acercándose a nosotros.

Aparentemente tenía aspecto de maestra de escuela, o puede que de directora de algún colegio público de clase alta. Era de mediana edad, hablaba con un entrecortado y agudo acento inglés e iba vestida con un desaliñado traje chaqueta de *tweed* sin planchar. Sin embargo, a juzgar por sus modales, dudaba de que ningún colegio la hubiera empleado. Era brusca, bordeando casi la agresividad.

Presentí que me traería problemas, por lo que no me molesté en contestarla. No obstante, ella parecía decidida a enzarzarse en una pelea.

—Llevo un buen rato observándoles y he podido notar como el gato está moviendo la cola. ¿Sabe lo que eso significa? —me increpó.

Me encogí de hombros. Sabía que de todas formas ella misma me daría la respuesta.

—Significa que no es feliz. No debería explotarlo de esa forma. No creo que esté preparado para cuidarle.

Me había visto envuelto en esa misma situación muchas veces desde que Bob y yo empezamos en las calles juntos. Sin embargo, traté de ser educado, así que en lugar de decirle a la señora que se metiera en sus propios asuntos, empecé a defenderme débilmente una vez más.

—Está moviendo la cola porque está contento. Si no quisiera estar aquí, señora, no le vería el pelo. Es un gato. Ellos eligen con quién quieren estar. Es libre para marcharse cuando quiera.

—¿Entonces por qué lleva una correa? —me espetó, con una mirada engreída en su cara.

—Solo lleva la correa aquí y cuando vamos por la calle. En una ocasión que se asustó salió corriendo y luego se sintió aterrorizado cuando no pudo encontrarme. Le dejo suelto cuando tiene que hacer sus necesidades. Así que, le repito, si no fuera feliz como usted afirma, se marcharía en cuanto le soltara la correa, ¿no cree?

Había mantenido esta conversación cientos de veces y sabía que para un noventa y nueve por ciento de personas esa era una respuesta racional y sensata. Pero esta mujer formaba parte de ese uno por ciento que nunca parece estar conforme. Era uno de esos individuos dogmáticos que creen tener siempre razón y que tú siempre estás equivocado —y todavía más equivocado si eres lo suficientemente impertinente para no ver su punto de vista.

—No, no y no. Es un hecho demostrado que si un gato mueve la cola es señal de incomodidad —repitió cada vez más envalentonada. Advertí que su cara estaba enrojecida. Movía los brazos mientras daba vueltas alrededor de nosotros de forma amenazadora.

Pude notar que Bob se sentía incómodo con ella; tenía un radar especialmente afinado para oler los problemas. Se había levantado y empezó a deslizarse hacia mí hasta quedarse entre mis piernas, listo para saltar si las cosas se ponían feas.

Una o dos personas se habían detenido, picados por la curiosidad, para ver qué era ese jaleo, así que me dije que, al menos, tendría testigos si la señora decía o hacía algo intolerable.

Continuamos discutiendo durante un minuto o dos. Traté de calmar sus miedos hablándole brevemente de nosotros.

—Llevamos juntos más de dos años. Él no se habría quedado conmigo ni dos minutos si le hubiera maltratado —dije en un momento dado. Pero ella continuó en sus trece. Daba igual lo que dijera, ya que ella se limitaba a sacudir la cabeza despreciativamente. Simplemente no estaba dispuesta a escuchar mi punto de vista. Me sentía totalmente frustrado, ya no podía hacer nada más. Me resigné al hecho de que estaba atrincherada en su opinión—. ¿Por qué no reconocemos que simplemente tenemos opiniones distintas? —dije en un momento dado.

—Ufff —exclamó, agitando sus brazos hacia mí—. No voy a estar de acuerdo con nada de lo que me diga, jovencito.

Finalmente, para mi alivio, empezó a alejarse, murmurando y sacudiendo la cabeza mientras se perdía entre la multitud que deambulaba por la entrada de la estación del metro.

La observé durante un momento, pero pronto me distraje cuando llegaron un par de clientes. Afortunadamente su actitud era justo la contraria de la que había mostrado esa mujer. Sus sonrisas fueron un agradable consuelo.

Estaba devolviéndole el cambio a uno de ellos cuando escuché un ruido detrás de mí que reconocí inmediatamente. Era un fuerte y penetrante maullido. Me di la vuelta y vi a la mujer del traje de chaqueta. No solo había regresado, sino que ahora sostenía a Bob en sus brazos.

De alguna forma, mientras yo estaba distraído, se las había arreglado para levantarlo de la mochila. Y ahora lo acunaba de forma extraña, sin afecto o simpatía, con una mano debajo de su estómago y la otra en su espalda. Resultaba raro, como si nunca antes hubiera cogido a un animal en brazos. Lo mismo podría haber estado sujetando un trozo de carne que acabara de comprar en el carnicero o una enorme coliflor del mercado.

Bob estaba claramente furioso por haber sido cogido de esa forma y se revolvía como un loco.

—¿Qué demonios cree que está haciendo? —grité—. Déjelo en el suelo ahora mismo, o llamaré a la policía.

—Necesita que lo lleven a un lugar seguro —replicó, mientras una expresión ligeramente desquiciada se formaba en su cara enrojecida.

Oh, Dios mío no, va a salir corriendo con él, me dije preparado para soltar mi pila de ejemplares y emprender la persecución por las calles de Islington.

Afortunadamente no parecía tener nada planeado, porque la larga correa de Bob aún seguía atada a mi mochila. Durante un momento, nos quedamos en una especie de punto muerto. Entonces vi que se fijaba en la correa que llegaba hasta la mochila.

—No, no lo hará —dije, acercándome para interceptarla.

Mi movimiento le pilló desprevenida, lo que, a su vez, dio a Bob su oportunidad. Dejó escapar otro chirriante maullido y se liberó de las manos de la mujer. No llegó a arañarla pero sí le clavó las garras en el brazo haciendo que se asustara y le dejara caer al suelo.

Aterrizó un tanto bruscamente y luego se quedó ahí durante un segundo gruñendo y bufando mientras enseñaba los dientes a la señora. Nunca le había visto con una actitud tan agresiva hacia nadie ni nada.

Increíblemente, ella utilizó su reacción como argumento contra mí.

—Lo ve, está enfadado —dijo, señalando a Bob y dirigiéndose a la media docena o más de personas que se habían congregado para seguir lo sucedido.

—Está furioso porque lo ha cogido en brazos sin su permiso —repliqué—. Solo permite que yo lo coja.

Ella no pensaba ceder tan fácilmente. Parecía creer que tenía a la audiencia de su parte y quería actuar para ellos.

—No, está enfadado por la forma en que lo trata —contestó—. Todo el mundo puede verlo. Esa es la razón por la que deberían quitárselo. No quiere estar con usted.

Una vez más se produjo un breve *impasse* mientras todos contenían el aliento expectantes por ver qué sucedería a continuación. Fue Bob quien rompió el silencio. Le lanzó a la mujer una mirada realmente desdeñosa, y luego se deslizó hacia mí. Empezó a frotar la cabeza contra la parte exterior de mi pierna, ronroneando ruidosamente cuando estiré la mano para acariciarle.

Entonces plantó su trasero en el suelo y me miró con expresión juguetona, como diciendo: «¿Te parece que hagamos ahora uno de nuestros trucos?». Reconociendo esa mirada, hundí mi mano en el bolsillo del abrigo y saqué una galletita. Casi inmediatamente, Bob se alzó sobre sus patas traseras y se agarró a mis brazos. Entonces introduje la galleta en su boca, provocando un par de sorprendidos *aahs* en alguna parte detrás de mí.

Hay ocasiones en las que la inteligencia de Bob y su habilidad para entender los matices de lo que está ocurriendo a su alrededor desafían lo verosímil. Ese fue uno de esos momentos. Bob había actuado para la multitud. Era como si hubiera querido hacer una demostración. Como si estuviera diciendo: «Estoy con James, y soy muy feliz con él. Y cualquiera que diga lo contrario se equivoca. Fin de la historia». Ese era sin duda el mensaje que la mayoría de los presentes recibió. Un par de ellos eran rostros familiares, gente que me había comprado alguna revista en el pasado o se había detenido para saludar a Bob. Se volvieron hacia la mujer del traje de chaqueta para dejar claros sus sentimientos.

—Conocemos a este tipo, es muy majo —dijo un joven vestido de ejecutivo.

—Sí, déjelos en paz. No hacen ningún daño y él cuida muy bien de su gato —declaró otra mujer de mediana edad. Un par de personas más acudieron en mi apoyo, y a estas se unieron nuevas voces, pero ninguna de ellas apoyó a la mujer del traje de *tweed*.

A estas alturas, la expresión que se había formado en la cara de la mujer hablaba por sí misma. Se la veía más colorada que nunca, casi púrpura. Farfulló y refunfuñó durante un momento sin decir nada concreto. Estaba claro que la moneda no había caído de su lado y comprendió que había perdido su particular batalla. Así que se giró sobre sus talones y desapareció una vez más entre la multitud, esta vez —gracias a Dios— definitivamente.

—¿Estás bien, James? —preguntó uno de los espectadores cuando me agaché para echar un vistazo a Bob. Estaba ronroneando ruidosamente pero su respiración era normal y no había signos de ninguna lesión de cuando la mujer le había dejado caer al suelo.

—Estoy bien, gracias —contesté, sin ser totalmente sincero.

Odio cuando la gente piensa que utilizo a Bob. Me duele en lo más profundo. En cierto sentido ambos éramos víctimas de nuestras circunstancias. Bob quería estar conmigo, de eso estaba absolutamente seguro. Me lo había demostrado una y otra vez. Lamentablemente, en esta etapa de mi vida, eso significaba que tenía que pasar sus días conmigo en las calles. Así estaban las cosas ahora mismo. No tenía elección.

La parte negativa es que eso nos convertía en blancos fáciles, en patos de feria expuestos para que la gente nos juzgue. Teníamos suerte, ya que la mayoría de la gente lo hacía con benevolencia. Había aprendido a aceptar que siempre habría algunos que no lo harían.

CAPÍTULO 3

El Bobmóvil

Era una agradable tarde de principios de verano y había decidido terminar de trabajar pronto. El tiempo soleado parecía haber dibujado una sonrisa en el rostro de todo el mundo y pude cosechar sus beneficios vendiendo mi pila de ejemplares en pocas horas.

Desde que comencé a vender *The Big Issue* un par de años atrás había aprendido a ser precavido, así que decidí invertir parte del dinero en comprar más ejemplares para el resto de la semana. De camino al autobús de vuelta a casa, con Bob encaramado a mis hombros, me dirigí a ver a Rita, la coordinadora de la zona norte de Islington High Street.

Ya desde la distancia, pude observar que estaba teniendo una animada conversación con un grupo de vendedores con petos rojos que se apiñaban alrededor de algo. Resultó ser una bicicleta. Me llevaba bien con Rita, por lo que sabía que podía tomarle el pelo.

—¿Qué es esto, Rita? —bromeé—. ¿Vas a correr el Tour de Francia?

—No exactamente, James —sonrió—. Alguien me la acaba de vender a cambio de diez revistas. Para ser sincera, no sé qué hacer con ella. Las bicicletas no son mi fuerte.

Era evidente que la bicicleta no estaba en las mejores condiciones. Había partes del manillar oxidadas y el faro delantero tenía el cristal roto. La pintura había saltado en un par de sitios y, para más inri, uno de los guardabarros estaba partido por la mitad. Sin embargo la parte mecánica parecía estar en buen estado.

—¿Está en condiciones para circular? —le pregunté a Rita.

—Creo que sí. —Se encogió de hombros—. El tipo que me la vendió me dijo algo sobre que uno de los frenos necesitaba algún repaso, pero eso es todo.

Se dio cuenta de que mi mente trabajaba a toda velocidad.

—¿Por qué no la pruebas, a ver qué te parece?

—¿Y por qué no? —repuse—. ¿Puedes cuidar de Bob un minuto?

Yo no era ningún Bradley Wiggins, pero había montado en bicicleta durante toda mi infancia y también en Londres. Como parte de mi rehabilitación algunos años atrás, tuve que participar brevemente en un cursillo de montaje de bicicletas, así que sabía un poco sobre el mantenimiento de las mismas. Me alegró comprobar que una parte de esos conocimientos no se había echado a perder.

Después de pasarle la correa de Bob a Rita, cogí la bicicleta y le di la vuelta para inspeccionarla adecuadamente. Las ruedas estaban hinchadas y la cadena parecía bien engrasada y se deslizaba con suavidad. El sillín estaba un poco bajo para mi altura, así que lo levanté un poco. Entonces volví a posar la bicicleta en la calzada para hacer un rápido examen. La palanca del cambio de marchas, en un lateral del cuadro, estaba un poco agarrotada y, tal y como Rita me había advertido, el freno delantero no funcionaba adecuadamente. Había que hacer mucha presión en la maneta para lograr alguna reacción, e incluso así no era suficiente para conseguir parar la bicicleta del todo. Imaginé que habría algún problema con el alambre que iba por dentro del cable. Algo que sería fácilmente reparable. Sin embargo, el freno trasero funcionaba bien, y eso era todo lo que necesitaba saber.

—¿Qué significa eso? —preguntó Rita cuando le informé de su estado general.

—Significa que se puede montar —declaré.

Para entonces ya había tomado una decisión.

—Te propongo un trato, te doy diez libras por ella —ofrecí.

—¿En serio? ¿Estás seguro? —preguntó Rita un poco sorprendida.

—Sí —le contesté.

—Está bien, trato hecho. Pero también necesitarás esto —indicó, buscando algo por debajo de su carrito y sacando un ajado y viejo casco de ciclista negro.

Siempre he sido una especie de acaparador, coleccionando toda clase de objetos y piezas extrañas, y durante un tiempo mi pequeño apartamento estuvo lleno de cachivaches de lo más variopintos, desde maniquíes a señales de tráfico. Pero esto era diferente. De hecho era una de las primeras inversiones sensatas que había hecho desde hacía tiempo. Sabía que la bicicleta podría serme útil en Tottenham, donde la utilizaría para desplazamientos cortos a las tiendas de alrededor o a los médicos. En poco tiempo amortizaría las diez libras invertidas, ahorrando en billetes de autobús. Sin embargo, para hacer el largo trayecto hasta Angel para trabajar o para ir al centro de Londres, seguiría utilizando el autobús o el metro. Ese viaje era demasiado peligroso para hacerlo en bicicleta debido a la cantidad de carreteras principales y cruces que había que atravesar. Algunas de ellas eran conocidas por ser puntos negros de accidentes de bicicleta.

Fue entonces, mientras repasaba mentalmente el mapa de los viajes que podría hacer en bicicleta, cuando de pronto fui consciente de algo.

—Ah, ¿pero cómo voy a llevarla hasta casa?

Los conductores de autobuses no permiten subir bicicletas a bordo y tampoco había posibilidad de poder llevarla en el metro. Me detendrían en las barreras de torniquete inmediatamente. Tal vez sería posible transportarla en un tren de superficie, pero no había ninguna línea que pasara cerca de mi apartamento.

«Solo se puede hacer una cosa», me dije.

—Está bien, Bob, parece que tú y yo vamos a tener que ir pedaleando hasta casa —declaré.

Bob había estado disfrutando del calor del sol en la acera al lado de Rita, aunque sin quitarme la vista de encima. Cuando me vio subido a la bicicleta, inclinó ligeramente la cabeza hacia un lado como si quisiera decir: «¿Qué es ese artilugio y por qué estás sentado encima de él?».

Volvió a mirarme de forma sospechosa cuando me coloqué el casco, deslicé la mochila sobre mis hombros e hice rodar la bicicleta hacia él.

—Vamos, colega, sube a bordo —indiqué, agachándome para cogerle y dejando que trepara a mis hombros.

—Buena suerte —declaró Rita.

—Gracias. Creo que vamos a necesitarla —contesté.

El tráfico en Islington High Street era denso y, como de costumbre, estaba prácticamente colapsado. Así que durante un buen tramo conduje la bicicleta por la acera, en dirección hacia la pequeña zona ajardinada del monumento conmemorativo. Pasamos por delante de una pareja de policías que nos miraron con curiosidad, pero no dijeron nada. No había ninguna ley que impidiera montar en bicicleta llevando un gato encaramado en los hombros. Bueno, hasta donde yo sabía, no la había. Supongo que, si hubieran querido, podrían haberme dado el alto. Pero obviamente tenían mejores cosas que hacer esa tarde, gracias a Dios.

No quería conducir a lo largo de High Street así que encaminé la bicicleta a través de un paso de peatones. Atraíamos más miradas de las que estábamos acostumbrados; las expresiones de la gente iban desde el asombro a la hilaridad. Más de una persona frenó en seco señalándonos como si fuéramos visitantes de otro planeta.

No nos detuvimos y cruzamos a través de la esquina de Green, por delante de la librería Waterstones, y girando por la carretera principal en dirección al norte de Londres por Essex Road.

—Vale, allá vamos, Bob —anuncié respirando hondo antes de adentrarme en el denso tráfico. Pronto nos encontramos abriéndonos paso entre autobuses, camiones, coches y furgonetas.

Casi enseguida Bob y yo lo tuvimos dominado. Mientras yo me concentraba en mantenernos derechos, podía sentir cómo él se reacomodaba. Mejor que ir erguido, decidió sensatamente enroscarse alrededor de mi cuello, con su cabeza hacia abajo mirando hacia adelante. Estaba claro que quería instalarse cómodamente y disfrutar del paseo.

Era media tarde y muchos chicos volvían a casa del colegio. Por todo lo largo de Essex Road, grupos de chicos vestidos de uniforme se paraban y nos saludaban con la mano. En una ocasión traté de devolver el saludo, pero estuve a punto de desequilibrarme, haciendo que Bob se deslizara ligeramente hacia mi hombro.

—Oh, lo siento, colega. No lo haré más —me disculpé mientras ambos recuperábamos el equilibrio.

Avanzábamos de forma regular, aunque a veces íbamos muy despacio. Cuando teníamos que detenernos a causa del tráfico, inmediatamente alguien nos gritaba pidiéndonos que le dejáramos sacar una foto. En un momento dado, dos colegialas quinceañeras bajaron a la calzada para fotografiarse con nosotros.

—¡Oh, Dios mío, es tan mono! —dijo una de ellas apoyándose contra nosotros con tanta fuerza que estuvo a punto de derribarnos.

Hacía algunos años que no montaba en bicicleta y no estaba precisamente en las mejores condiciones físicas. Así que tuve que darme un respiro de cuando en cuando, atrayendo a un pelotón de espectadores cada vez que lo hacía. La mayoría sonreía con simpatía, pero un par de ellos sacudieron la cabeza con desaprobación.

—Estúpido idiota —escuché decir a un hombre de mediana edad bien trajeado cuando pasó por delante de nosotros.

Yo no me sentía estúpido en absoluto. De hecho, era bastante divertido, y notaba que Bob también lo estaba pasando bien. Tenía la cabeza pegada a la mía y podía escuchar cómo ronroneaba feliz en mi oreja.

Continuamos a lo largo de Newington Green y, desde allí, hacia Kingsland Road, donde la carretera descendía hasta Seven Sisters. Había estado esperando llegar a este tramo. Durante la mayor parte del trayecto, aparte de un par de pequeñas cuestas aquí y allá, la carretera transcurría bastante plana. En este punto, sin embargo, sabía que encontraríamos una bajada de aproximadamente un kilómetro y medio. Podría dejar de pedalear tranquilamente.

Para mi satisfacción, descubrí que había un carril bici que estaba totalmente vacío. Casi inmediatamente, Bob y yo estábamos volando pendiente abajo, con la suave brisa de verano soplando en nuestro pelo.

—Guau. ¿No es genial, Bob? —exclamé en un momento dado. Me sentía un poco como Elliot en la película de *E.T.* No es que esperara que fuéramos a despegar y voláramos de vuelta a casa en el norte de Londres por encima de los tejados, pero en algún momento debimos alcanzar más de treinta kilómetros por hora.

El tráfico en la carretera principal que había a nuestra derecha estaba paralizado, y la gente bajaba las ventanillas para dejar entrar un poco de aire. Algunas de las expresiones de sus caras cuando pasamos a toda velocidad por delante de ellos eran impagables.

Un par de niños se asomaron por el techo solar de sus coches y nos gritaron. Varias personas simplemente se quedaron mirándonos como si no pudieran dar crédito a lo que veían sus ojos. Era comprensible, supongo. No es habitual ver a un gato pelirrojo bajando a toda velocidad una pendiente en bicicleta.

Solo tardé media hora en volver a casa, lo que resultaba bastante impresionante considerando que habíamos tenido un montón de paradas imprevistas.

Cuando entramos en la zona común delante de nuestro edificio, Bob se bajó tranquilamente de mis hombros como si se estuviera apeando del autobús. Era su típica actitud despreocupada hacia la vida. Se había tomado las cosas con calma; este solo era otro día cualquiera en Londres.

De vuelta en el apartamento, pasé el resto de la tarde y la noche tratando de arreglar la bicicleta. Casi enseguida, reparé el freno delantero y efectué una puesta a punto general.

—Ya está —le dije a Bob mientras me apartaba para admirar mi obra—. Creo que ya tenemos nuestro Bobmóvil.

No podía estar seguro, pero creí notar que la mirada que me lanzó mostraba su aprobación.

La gente a menudo me pregunta cómo Bob y yo nos comunicamos tan bien.

—Es sencillo —suelo contestar—. Él tiene su propio lenguaje, y yo he aprendido a interpretarlo.

Tal vez suene descabellado, pero es cierto.

Su principal medio de comunicación es su lenguaje corporal. Tiene toda una gama de señales que me dicen exactamente lo que está sintiendo y, en concreto, lo que quiere en un momento determinado. Por ejemplo, si necesita hacer sus necesidades cuando estamos caminando por las calles, se pone a gruñir y rugir levemente. Entonces empieza a revolverse en mi hombro. No necesito mirarle para saber qué es lo que le pasa; está tratando de localizar algún sitio cercano con tierra suave donde poder aliviarse.

Si, por el contrario, va tirando de su correa y se cansa, deja escapar un ligero y sordo gruñido lastimero, y se niega a dar un paso más. Se queda mirándome como queriendo decir «vamos colega, cógeme, estoy agotado».

Si alguna vez se asusta, se encoge sobre mi hombro, pero si está en el suelo, realiza una maniobra marcha atrás hasta quedarse entre mis piernas en posición, para el caso de que tenga que cogerlo. En su honor debo decir que es raro que algo le asuste. El sonido de una ambulancia o de un coche de policía con las sirenas sonando apenas le perturba. Está muy acostumbrado, viviendo y trabajando en el centro de Londres. La única cosa que le desquicia ligeramente es el sonido de los frenos de aire comprimido de los grandes camiones y autobuses. Cada vez que escucha ese molesto y sibilante sonido retrocede y mira asustado. Las noches en que hay fuegos artificiales se pone un poco nervioso con los fuertes estallidos y explosiones, pero normalmente disfruta viendo las brillantes y centelleantes luces en el cielo desde la ventana de mi apartamento.

También hay otras señales. Por ejemplo, podría hablar largo y tendido de su humor por la forma en que mueve el rabo. Si está roncando o dormido su cola permanece quieta e inmóvil, por supuesto. Pero otras veces, la menea utilizando diferentes movimientos. El más común es un suave desplazamiento de lado a lado, parecido al de las escobillas de un limpiaparabrisas en su posición más lenta. Ese es su meneo de satisfacción. He pasado innumerables horas sentado por todo Londres con él y le he visto hacerlo cada vez que estaba entretenido o intrigado por algo. La señora que trató de quitármelo en Angel no fue la primera en malinterpretar ese movimiento. Hubo otros que cometieron ese mismo error, traduciéndolo como una señal de enfado. Bob, evidentemente, se enfada como todo el mundo, pero lo demuestra con un movimiento de cola muy distinto que consiste en dar contundentes coletazos, de forma parecida a un matamoscas.

Por supuesto también hay mensajes más sutiles. Si, por ejemplo, está preocupado por mí, suele acercarse mucho como para examinarme. Cuando no me encuentro bien, le gusta deslizarse y escuchar mi pecho. Hace un montón de cosas cariñosas como esa. Tiene la costumbre de acercarse y frotarse contra mí, ronroneando. O si no, frota su cara contra mi mano ladeando la cabeza para que pueda rascarle detrás de la oreja. Los expertos en conducta animal y zoólogos podrán tener sus propias opiniones, pero para mí esa es la forma en que Bob me dice que me quiere.

Obviamente, los mensajes más frecuentes que intenta transmitir están relacionados con la comida. Si, por ejemplo, quiere que vaya a la cocina para darle de comer, se dedica a golpear las puertas de los armarios. Es tan listo que es capaz de abrir los cierres de protección infantil que tengo instalados específicamente para impedirle el acceso, de modo que siempre tengo que ir a comprobarlos. Para cuando llego a la cocina, ya se ha tumbado en un rincón junto al radiador, desde donde adopta su mirada más inocente. Pero eso no dura demasiado y en poco tiempo está suplicando que le dé alguna golosina.

Bob es ante todo muy pertinaz, y no me deja en paz hasta que no consigue lo que quiere. Puede sentirse muy frustrado si decido ignorarle y recurre a todos los trucos, desde golpearme en la rodilla a ponerme la mirada del «Gato con Botas». Su creatividad no tiene límites cuando se trata de llenar el vacío de su estómago.

Durante un tiempo, su mayor reto consistía en distraerme mientras yo me divertía con los videojuegos de la consola Xbox de segunda mano que encontré en un local de beneficencia. La mayor parte del tiempo, Bob se mostraba muy contento por verme jugar. Parecía fascinado por algunos juegos, especialmente el de las carreras de coches. Se quedaba a mi lado experimentando cada curva y maniobra. En una ocasión, habría jurado que vi su cuerpo inclinarse cuando tomamos bruscamente una curva especialmente cerrada. Sin embargo, su tolerancia se acababa cuando se trataba de juegos de acción con demasiados disparos. Siempre que jugaba a alguno de esos, solía refugiarse en otro rincón de la habitación. Y si el juego —o yo— resultábamos demasiado ruidosos, levantaba la cabeza y nos lanzaba una miraba impertinente. El mensaje era simple: «Baja el volumen, ¿no ves que estoy intentando dormir?».

Podía llegar a involucrarme totalmente en un juego. Era bastante frecuente que empezara a jugar a las nueve de la noche y no terminara hasta las tantas de la madrugada. A Bob eso no le gustaba y hacía todo lo posible por atraer mi atención, especialmente cuando tenía hambre.

Hubo veces, sin embargo, en las que fui inmune a sus encantos y se vio obligado a adoptar medidas más drásticas.

Una noche estaba jugando con Belle cuando Bob apareció. Le había dado su cena un par de horas antes, pero debió pensar que necesitaba alguna golosina. Empezó a desplegar todo su catálogo de gracias para captar la atención, haciendo una selección de ruidos, enroscándose alrededor de mis pies y frotándose entre mis piernas. Pero estábamos tan absortos en tratar de alcanzar el siguiente nivel del juego, que no le hicimos ningún caso.

Durante un momento se escabulló, rodeando la zona donde la televisión y la consola estaban enchufadas. Después de un instante, se acercó al panel de control de la consola y presionó su cabeza contra el enorme botón sensible al tacto que había en el centro.

—Bob, ¿qué estás haciendo? —pregunté ingenuamente, aún demasiado absorto en el juego para entender lo que tramaba.

Instantes después, la pantalla se oscureció y la consola empezó a apagarse. Había ejercido la suficiente presión sobre el botón como para desconectarla. Nos encontrábamos en mitad de un nivel muy complicado del juego, por lo que deberíamos habernos puesto furiosos con él. Pero ambos nos quedamos sentados con la misma expresión de incredulidad en nuestras caras.

—¿Acaba de hacer lo que creo? —me preguntó Belle.

—Bueno, yo también lo he visto, así que debe haberlo hecho. Pero casi no puedo creerlo.

Bob seguía ahí, con mirada triunfante. Su expresión lo decía todo: «Y ahora, ¿cómo pensáis ignorarme?».

Pero no siempre recurrimos a las señales y al lenguaje corporal. Hay veces en que tenemos una extraña especie de telepatía, como si ambos supiéramos lo que el otro está pensando o haciendo. Y, asimismo, hemos aprendido a alertarnos el uno al otro del peligro.

Pocos días después de que adquiriera la bici, decidí llevar a Bob a un parque local que acababan de reformar. Para entonces, ya se había acostumbrado totalmente a montar encaramado sobre mis hombros, volviéndose cada vez más confiado y asomándose por los lados como el acompañante de un motorista.

El parque resultó ser bastante decepcionante. Aparte de unos cuantos bancos nuevos, algunos arbustos y una zona de juegos para niños, no parecía haber cambiado demasiado. Aun así, Bob se mostraba ansioso por explorarlo. Siempre que me parecía que era un lugar seguro, le quitaba la correa para que pudiera disfrutar a su aire husmeando entre la hierba mientras hacía sus necesidades. Ese día lo había soltado y me había quedado sentado leyendo un comic y tratando de absorber algunos rayos de sol cuando, a lo lejos, escuché el ladrido de un perro.

«Oh, no», pensé.

Al principio supuse que sería un par de calles más abajo. Pero cuando el ladrido aumentó de volumen, comprendí que era mucho más cerca. Vi a lo lejos a un pastor alemán de aspecto realmente amenazador corriendo hacia la entrada del parque. El perro apenas estaba a ciento cuarenta metros y se había soltado de la correa. Hubiera jurado que estaba buscando problemas.

—¡Bob! —grité hacia el césped donde, sabía, estaría ocupado atendiendo la llamada de la naturaleza—. ¡Bob, ven aquí!

Durante un instante sentí que me invadía el pánico. Pero, como tantas veces en el pasado, estábamos en la misma onda y su cabeza pronto asomó entre los arbustos. Agité mis brazos hacia él, alentándole para que viniera conmigo sin armar demasiado alboroto. No quería que el perro me viera. Bob entendió lo que sucedía inmediatamente y salió como una exhalación de los arbustos. No tenía miedo de los perros, aunque escogía sus batallas astutamente. A juzgar por el ruido que estaba haciendo el pastor alemán, aquel no era un perro con el que quisiéramos tener una pelea.

El brillante pelaje naranja de Bob no era fácil de disimular entre tanto verdor, y el perro pronto empezó a acelerar en dirección a nosotros, ladrando con más ferocidad. Por un instante temí que Bob hubiera reaccionado demasiado tarde, así que agarré la bicicleta y me preparé para interponerme en la línea de fuego si era necesario. Sabía que si el pastor alemán le interceptaba, Bob podría verse en serios problemas.

Como tantas veces en el pasado, sin embargo, le había subestimado.

Corrió a través del césped y llegó al mismo tiempo que yo me agachaba sobre una rodilla. En un único movimiento, lo subí a mi hombro, me monté de un salto en la bicicleta y —con Bob colocado sobre mis hombros— empecé a pedalear furiosamente para salir del parque.

El frustrado pastor alemán nos persiguió durante un corto tramo, poniéndose en un momento dado a nuestra altura, mientras nos dirigíamos hacia la calle. Escuché a Bob bufándole. No podía ver su cara, pero no me hubiera extrañado que estuviera burlándose.

—Y ahora, ¿qué piensas hacer al respecto, tipo duro? —le estaría diciendo probablemente.

Cuando alcancé la calle principal y puse rumbo a nuestro edificio de apartamentos, eché un vistazo hacia atrás para ver a nuestro némesis retirándose a lo lejos hasta reunirse con su amo, un tío fuerte y grande con cazadora negra y vaqueros. Estaba luchando para intentar ponerle la correa al perro, pero ese era su problema, no el mío.

—Ha estado muy cerca, Bob —declaré—. Menos mal que teníamos el Bobmóvil.

CAPÍTULO 4

La extraña pareja

No era frecuente que recibiera visitas en casa. No tenía muchos amigos en la zona y no me relacionaba demasiado fuera de mi edificio. Intercambiaba saludos y frases amables con los vecinos, pero eran contadas las veces que alguno de ellos se había pasado por casa para charlar conmigo. Así que siempre me alarmaba cada vez que alguien llamaba a la puerta o apretaba el botón del telefonillo a la entrada del edificio. Automáticamente imaginaba lo peor, esperando encontrarme frente a algún alguacil o recaudador de impuestos tratando de cobrarme un dinero que no tenía.

Esa fue mi reacción inmediata cuando el telefonillo sonó, un día entre semana, justo después de las nueve de la mañana, mientras Bob y yo nos preparábamos para ir a trabajar.

—¿Quién demonios será? —solté instintivamente abriendo del todo las cortinas a pesar de que no tenía vistas de la entrada desde la quinta planta.

—James, soy Titch. ¿Puedo subir con Princess? —contestó una voz familiar por el altavoz.

—Ah, hola, Titch. Claro, sube, pondré la tetera a calentar —dije, soltando un suspiro de alivio.

Titch era, como su propio nombre indicaba, un tío bajito y poca cosa. Enjuto, con pelo ralo y corto. Al igual que yo, se estaba recuperando de su adicción y había empezado a vender *The Big Issue*. Estaba pasando un mal momento y se había venido a dormir a mi casa un par de veces en los últimos meses. Después de convertirse en coordinador en Islington se había metido en problemas en el trabajo, hasta que le «despojaron» de su acreditación, sancionándole con seis meses de suspensión. Aún estaba esperando que le levantaran la sanción mientras luchaba con todas sus fuerzas para conseguir llegar a fin de mes.

Desde que Bob apareció en mi vida sentía como si se me hubiera dado una segunda oportunidad y, por esa razón, yo había querido darle a Titch la suya. Además me caía bien. En el fondo sabía que tenía buen corazón.

Otra razón por la que Titch y yo nos llevábamos bien era porque ambos trabajábamos en la calle con nuestras mascotas como compañía. En el caso de Titch, era su fiel labrador negro con cruce de Staffordshire bull terrier, Princess. Una perra adorable y de naturaleza bondadosa. Las otras veces que se quedó conmigo había dejado a Princess en algún otro sitio. Sabía que yo tenía a Bob y que meter a un perro en casa podría causarme problemas. Pero, por alguna razón, hoy no parecía ser el caso. Reuní fuerzas preparándome para lo que estaba por venir, mientras la pareja llegaba a la puerta de entrada.

Las orejas de Bob se irguieron cuando escuchó la llamada a la puerta. Cuando vio entrar a Titch y a Princess, su primera reacción fue arquear el lomo y bufar. Aparentemente, los gatos arquean la espalda para parecer más grandes cuando se pelean. Y por esa misma razón también se les eriza el pelo. En este caso en particular, sin embargo, Bob no tenía de qué preocuparse. Princess era una perra realmente pacífica y afectuosa. Aunque también podría ponerse un poco nerviosa. Así que en el momento en que vio a Bob adoptar una postura de enfrentamiento, simplemente se quedó inmóvil. Era justo lo opuesto a lo que debía ser una situación normal, en la que el perro de mayor envergadura suele intimidar al gato de menor tamaño.

—Está bien, Princess —aseguré—. No te hará daño.

Entonces la llevé a mi dormitorio y cerré la puerta para que se sintiera segura.

—James, colega. ¿Habría alguna posibilidad de que cuidaras de Princess hoy? —me preguntó Titch yendo directamente al grano, cuando le tendí una taza de té—. Tengo que intentar solucionar mi situación con la seguridad social de una vez por todas.

—Pues claro —contesté, sabiendo lo pesadas que podían ser esas gestiones—. No será ningún problema. ¿Verdad que no, Bob?

Me lanzó una mirada enigmática.

—Hoy vamos a trabajar en Angel. ¿Crees que estará bien con nosotros? —pregunté no muy convencido.

—Claro, sin problemas —repuso Titch—. Entonces, ¿qué te parece si me paso a recogerla por allí esta tarde alrededor de las seis?

—Vale —contesté.

—Está bien, más vale que me dé prisa. Quiero ser el primero de la cola si pretendo que me atiendan antes de Navidad —bromeó Titch, asomando su cabeza por mi dormitorio.

—Sé buena chica, Princess —ordenó antes de marcharse.

Como ya me había demostrado esa mañana, Bob no tenía ningún problema con los perros, salvo que estos mostraran un comportamiento agresivo hacia él. Pero, incluso así, sabía manejarse bastante bien y había ahuyentado a varios chuchos de aspecto muy fiero con un simple gruñido y un fuerte bufido. Allá por nuestros primeros días, cuando tocaba la guitarra en Covent Garden, le había visto dar un buen zarpazo en el morro a un perro muy agresivo.

Pero Bob no solo era celoso de su territorio con los perros. Tampoco era un gran fan de otros gatos. Había momentos en los que me preguntaba si realmente sabría que era un gato. Parecía mirarlos como si fueran seres inferiores, indignos de respirar el mismo aire que él. Nuestra ruta de ida y vuelta al trabajo se había vuelto más complicada en los últimos meses debido a la cancelación del servicio de autobuses que solía llevarnos directamente desde Tottenham High Road hasta Angel. Así que habíamos empezado a tomar distintos autobuses, uno de los cuales nos obligaba a cambiar de línea en Newington Green, a casi un kilómetro y medio de Angel. Cuando teníamos poco dinero, hacíamos el trayecto a Angel andando. Y por el camino, cada vez que pasábamos por delante de lo que obviamente debía ser una casa con gatos, Bob no paraba de olfatear y clavar su mirada en ella.

Si accidentalmente veíamos a otro gato fuera o merodeando por ahí, le hacía saber en términos que no dejaban lugar a dudas que ese era su territorio.

En una ocasión que vio a un gato atigrado rondando por el pequeño parquecillo de Islington Green, Bob se transformó completamente. Tiraba tan fuerte para alcanzar a ese arribista que se había atrevido a invadir su territorio, que parecía que llevara a un perro especialmente peligroso al final de la correa. Quería demostrar su autoridad ante la situación. Y, obviamente, hoy también había sentido la necesidad de hacer lo mismo con Princess.

Si yo tenía alguna reserva, era más bien porque Princess pudiera resultar un incordio. Los perros dan mucho más trabajo que los gatos. Para empezar, no los podías llevar en los hombros mientras caminabas por la calle, un inconveniente que, como pronto descubrí, te retrasaba considerablemente.

Durante el camino hasta la parada del autobús, Princess fue un auténtico dolor de muelas. Tiraba de la correa constantemente, se paraba para olfatear las escasas zonas de hierba, y se dio la vuelta para agacharse y hacer sus necesidades al menos tres veces en un tramo de menos de doscientos metros.

—Venga, Princess, o no llegaremos nunca —la animaba, arrepintiéndome de mi decisión y recordando súbitamente por qué nunca había querido adoptar un perro como mascota.

Pero si bien yo tenía que forcejear para intentar establecer algún tipo de control sobre ella, Bob no parecía sufrir esos problemas. En el autobús, adoptó su sitio habitual en el asiento junto a la ventanilla, desde donde echaba un ojo a Princess, que se acurrucó bajo mis pies. La cara de Bob siempre ha sido muy expresiva, y las miradas que lanzaba a Princess cada vez que esta se entrometía en su territorio durante el trayecto eran desternillantes. El espacio debajo del asiento no era precisamente amplio y el pobre animal de vez en cuando se movía para cambiar de posición. Cada vez que lo hacía, Bob le lanzaba una mirada como queriendo decir: «¿Por qué no te quedas quieta de una vez, estúpida perra?

Fuera el tiempo era atroz, con la lluvia azotando las calles con fuerza. Al llegar a Islington, llevé a Bob a la pequeña zona ajardinada de Islington Green para que hiciera rápidamente sus necesidades y decidí dejar que Princess hiciera lo mismo. Grave error. Le llevó un siglo encontrar un lugar adecuado. Entonces caí en la cuenta de que había olvidado llevarme bolsitas de plástico, así que tuve que rebuscar en una papelera para encontrar algo con lo que recoger sus excrementos. «Realmente, mi día como cuidador de perros no está siendo muy divertido», me dije.

Con la lluvia arreciando por minutos, tuve que refugiarme bajo el toldo de un café. Cuando la camarera apareció, decidí que me vendría bien pedir una taza de té, un platillo de leche para Bob y un poco de agua para Princess. Poco después, tuve que entrar un momento para ir al cuarto de baño, dejando a mis dos compañeros atados a la mesa con sus correas.

Apenas tardé un par de minutos, pero cuando regresé estaba claro que se había producido algún tipo de forcejeo para tomar posiciones. Había dejado a Bob sentado en una silla y a Princess bajo la mesa, pero cuando volví, Bob estaba sentado en la mesa, lamiendo un plato con leche, mientras Princess, con aspecto nada feliz, estaba sentada debajo frente a un cuenco de agua. No tenía ni idea de lo que habría pasado, pero estaba claro que Bob, una vez más, debió hacer valer su autoridad.

Como de costumbre, Bob había empezado a llamar la atención de los transeúntes. A pesar del mal tiempo, una pareja de señoras se pararon para acariciarle y saludarle. Pero a la pobre Princess apenas si la miraron. Era como si no estuviera allí. Aquello me resultó gracioso porque, de alguna forma, podía adivinar cómo se sentía. Yo mismo vivo muchas veces bajo la sombra de Bob.

Finalmente la lluvia cesó y pudimos dirigirnos hacia nuestro puesto de Angel. Mientras Bob y yo adoptábamos nuestras posiciones habituales, Princess se tumbó un par de pasos más lejos con la cabeza colocada de tal forma que podía seguir todo lo que ocurría a nuestro alrededor. Una parte de mí había creído que sería una carga, pero resultó ser todo lo contrario: demostró ser toda una ventaja.

Mientras iba de un lado a otro tratando de convencer a los transeúntes para gastarse un par de pavos en comprar una revista, Princess permaneció sentada observando atentamente, su cabeza descansando sobre la acera y sus ojos desplazándose como si fueran cámaras de seguridad, examinando cuidadosamente a todos los que se acercaban a nosotros. Si obtenían su sello de aprobación, permanecía clavada en el sitio, pero si notaba algo sospechoso, se sentaba de golpe muy erguida dispuesta a intervenir. Si no le gustaba la facha de alguien, dejaba escapar un pequeño gruñido o incluso un ladrido. Lo que era suficiente para que captara el mensaje.

Más o menos una hora después de que nos estableciéramos, un borracho con una lata de cerveza extra larga en la mano apareció dando tumbos hacia nosotros. Tipos así constituían la plaga de mi existencia en Angel. Prácticamente todos los días alguien que parecía ir hasta arriba de alcohol me pedía por toda la cara una moneda para una cerveza Special Brew. Princess lo detectó enseguida, se puso en pie y ladró con una rápida advertencia como diciendo «pasa de largo». No era el perro más grande del mundo, pero tenía un aspecto suficientemente intimidante. En ese sentido podía más su parte de Staffordshire que la de labrador. El mendigo cambió inmediatamente de dirección, yendo a molestar a otra pobre alma.

Por otro lado, Princess se mantenía especialmente alerta cada vez que alguien se agachaba para acariciar y saludar a Bob. Daba un par de pasos hacia ellos, sacando la cabeza hacia delante para asegurarse de que estaban tratando al miembro más pequeño de nuestro trío con el debido respeto. Una vez más, si alguien no era de su agrado dejaba claros sus sentimientos y este se apartaba.

Realmente consiguió hacer mi trabajo más fácil. A menudo resultaba todo un reto estar vigilando a Bob de reojo al mismo tiempo que trataba de vender ejemplares de la revista, especialmente cuando la calle bullía de gente. El incidente con la señora del traje de chaqueta me había vuelto especialmente precavido.

—Gracias, Princess —empecé a decir sacando un pequeño obsequio de mi mochila.

Incluso Bob le mandó un par de miradas aprobatorias. En alguna parte, en lo más profundo de su mente felina, supe que estaba revisando su opinión de nuestra nueva e inesperada recluta. «Después de todo, tal vez no esté tan mal», debía de estar pensando.

El tiempo continuó siendo un asco durante toda la tarde, así que cuando el reloj empezó a acercarse a las seis, me puse a buscar a Titch. Se me había dado bastante bien la venta de revistas y estaba deseando poder irme para casa. No hacía un día como para estar fuera hasta tarde. Pero no había señales de él.

Ya eran más de las seis y aún no había ni rastro. Vi a una de las coordinadoras de *The Big Issue* que se dirigía a su casa después del trabajo. Todo el mundo conocía a Titch, y le pregunté si le había visto.

—No, en realidad hace semanas que no le veo —declaró—. No, desde que tuvo todos esos problemas, ya sabes.

—Sí —asentí.

Cuando dieron las seis y media empecé a sentirme verdaderamente decepcionado. Sé que la gente de la calle no es precisamente puntual, pero esto era ridículo.

—Venga, pareja, nos vamos a casa. Él puede ir a recogerte allí, Princess —indiqué, recogiendo todas mis cosas. Estaba cabreado con Titch, pero también un poco preocupado. Esa mañana,

Bob había tolerado la presencia de Princess en el apartamento durante algunos minutos, pero que se quedara a dormir era otra cuestión. Podía vaticinar un montón de ladridos de Princess, las quejas de los vecinos y una noche de insomnio para mí.

Me detuve en el pequeño supermercado abierto hasta medianoche para comprar algo de comida a Princess. No tenía ni idea de lo que le gustaba, así que elegí una lata cualquiera de comida para perros y algunas galletas.

De vuelta en la cocina de casa, cuando todos nos instalamos para cenar, Bob volvió a asegurarse de que la jerarquía quedara clara. Cuando Princess hizo un movimiento hacia el cuenco de agua que había puesto para ella, Bob bufó y gruñó ruidosamente, obligándola a retroceder. Primero tenía que terminarse su propio cuenco de leche.

Sin embargo no tardaron demasiado en encontrar cada uno su sitio. De hecho, Bob estaba tan contento con su nueva compañía que le permitió apurar los restos de su cena.

«Ahora ya lo he visto todo», me dije a mí mismo. Pero no fue así.

Hacia las diez de la noche me encontraba tan fundido que me quedé dormido delante de la televisión. Al despertar vi algo que me hizo desear tener una cámara de vídeo. Habría hecho una pequeña fortuna en esos programas de televisión que sacan vídeos de animales.

Bob y Princess estaban los dos repantingados en la moqueta, roncando tranquilamente. Cuando les había mirado por última vez estaban cada uno en un extremo de la habitación, Bob pegado a su sitio favorito junto al radiador y Princess cerca de

la puerta. Mientras dormía, Princess obviamente había busca-
do el calor del radiador deslizándose al lado de Bob. Su cabeza estaba ahora a menos de un palmo del morro de este. Si no
les conociera, habría jurado que eran colegas de toda la vida.
Me aseguré de echar el cerrojo a la puerta de entrada, apagué
las luces y me fui a la cama dejándolos allí. No escuché un
solo sonido hasta el día siguiente, cuando me despertaron unos
ladridos.

Me llevó un momento recordar que había un perro en la
casa.

—¿Qué sucede, Princess? —pregunté, aún medio dormido.

Dicen que algunos animales pueden notar cuando sus dueños están cerca. Mi mejor amiga Belle a veces se queda en casa
con nosotros y me ha contado que Bob a menudo percibe cuando estoy acercándome a casa. Varias veces se ha encaramado al
alfeizar de la ventana de la cocina mirando ansiosamente a la
calle, minutos antes de que yo aparezca ante la puerta de entrada. Princess claramente tenía el mismo don, porque unos segundos más tarde se oyó el telefonillo. Era Titch.

Por el aspecto de su rostro cansado y sin afeitar, deduje
que apenas había dormido, lo que, conociéndole, era bastante
posible.

—Siento mucho haberte dejado colgado ayer por la tarde,
pero me surgió algo —dijo, disculpándose. No me atreví a preguntar de qué se trataba. Yo mismo había tenido noches parecidas, un montón de ellas.

Hice otra taza de té y puse un poco de pan en el tostador.
Tenía aspecto de necesitar algo caliente.

Bob estaba tumbado junto al radiador, con Princess enroscada a un par de palmos, sus ojos una vez más clavados en su

nueva amiga. La expresión del rostro de Titch al verlos fue impagable. Estaba mudo de asombro.

—Mira a esos dos, ahora están a partir un piñón —sonreí.

—Ya lo veo, pero me cuesta creerlo —reconoció, mostrando una gran sonrisa.

Titch no era de los que dejan pasar una oportunidad.

—Entonces, ¿no te importaría cuidar otra vez de ella si tengo algún otro lío? —preguntó, masticando su tostada.

—Claro que no —aseguré.

CAPÍTULO 5

El fantasma de la escalera

La lluvia había caído de forma despiadada durante días, transformando las calles de Londres en piscinas infantiles en miniatura. Bob y yo volvíamos cada día a casa empapados hasta los huesos, por lo que ese día había renunciado a seguir calándome y decidí regresar más temprano.

Cuando por fin entramos en el edificio de apartamentos a media tarde, estaba desesperado por quitarme las ropas mojadas y dejar que Bob entrara en calor junto al radiador.

El ascensor de mi edificio funciona por lo general una vez de cada tres. Después de varios minutos de apretar repetidamente el botón para que bajara desde el quinto piso, me di cuenta de que había vuelto a averiarse.

—Genial —murmuré para mí mismo—. Me temo que nos toca subir a pie, Bob.

Me lanzó una mirada compungida.

—Venga, vamos —dije, inclinando mi hombro para que pudiera subirse.

Estábamos alcanzando el último tramo de escaleras del cuarto al quinto piso cuando advertí, en el rellano que estaba justo por encima de nosotros, una figura en las sombras.

—Espera aquí un segundo, Bob —dije, depositándolo en los escalones y adelantándome.

Al acercarme un poco distinguí que se trataba de un hombre apoyado contra la pared. Estaba ligeramente encorvado sobre sí mismo, con los pantalones parcialmente bajados y llevaba algo metálico en su mano. Supe instantáneamente lo que estaba haciendo.

En el pasado, el edificio había sido conocido por ser una guarida de drogadictos y camellos. Los adictos conseguían acceder al interior y utilizaban la escalera y los rellanos para fumar *crack* o marihuana o inyectarse heroína, tal y como estaba haciendo este tipo. Sin embargo, en los años que llevaba viviendo aquí, la policía había mejorado la situación drásticamente, aunque ocasionalmente aún se veían chicos jóvenes traficando en las escaleras o en el vestíbulo. Nada que ver con el anterior bloque de apartamentos donde me alojé en Dalston, que estaba plagado de adictos al *crack*. Pero, de todas formas, era bastante desagradable, especialmente para las familias que vivían en los pisos. Nadie desea que sus hijos lleguen a casa del colegio y se encuentren a un yonqui chutándose en la escalera a las puertas de su casa.

Para mí, desde luego, era un recordatorio del pasado que estaba deseando dejar atrás. Aún continuaba luchando con mi adicción; y siempre lo haría. Eso, lamentablemente, formaba parte de la naturaleza de la bestia. Pero desde que me asocié con Bob, había vuelto a empezar de cero y estaba camino de una completa recuperación. Después de desengancharme de la heroína y, más tarde, de la metadona, me habían recetado una droga llamada subutex, una medicación más suave que estaba lenta, pero definitivamente, reduciendo mi dependencia de las drogas. El consejero del centro de rehabilitación había comparado esta última fase de mi recuperación con el aterrizaje de un avión: tendría que ir bajando lentamente a la tierra. Ahora mismo llevaba varios meses tomando subutex. El tren de aterrizaje estaba bajado y podía ver las luces de la pista delante de mí. El descenso estaba saliendo de acuerdo con el plan, y prácticamente estaba tocando suelo firme.

«Preferiría no tener que ver esto», me dije a mí mismo.

Advertí que el tipo pasaba de los cuarenta y que llevaba el pelo corto cortado a cepillo. Vestía una chaqueta negra, camiseta, vaqueros y un par de viejas zapatillas de deporte. Por suerte, no era agresivo. De hecho era todo lo contrario. No dejaba de deshacerse en disculpas, lo que resultaba bastante inusual. Preocuparse por los demás no es el punto fuerte de los adictos a la heroína.

—Lo siento, colega, ahora mismo me aparto de tu camino —declaró con un fuerte acento del East End, mientras extraía la jeringuilla de su pierna y se subía rápidamente los pantalones. Sabía que había terminado de inyectarse. Sus ojos tenían la típica mirada vidriosa.

Decidí dejar que se fuera primero. Sabía que no se puede confiar en la palabra de un adicto. Quería que caminara por delante de mí, donde pudiera verlo.

Se le veía avanzar con paso vacilante. Subió dando tumbos el pequeño tramo de escaleras hasta el rellano del quinto piso, pasando por delante de las puertas del pasillo para llegar al ascensor.

Bob, atado a la correa, había subido detrás de mí el último tramo. Solo quería ponerle a salvo dentro de casa, así que me dirigí hasta la puerta de nuestro apartamento. Acababa de meter la llave en la cerradura y dejado pasar a Bob cuando escuché un sonoro gemido. Me di la vuelta y vi cómo el tipo se desplomaba. Cayó repentinamente como un saco de patatas, golpeando el suelo con un fuerte crujido.

—Tío, ¿estás bien? —pregunté corriendo hacia él. Evidentemente no lo estaba.

Pude advertir de inmediato que no se encontraba nada bien. Parecía que no respiraba.

—¡Oh, Dios mío, tiene una SD! —me dije reconociendo los síntomas de una sobredosis.

Afortunadamente llevaba conmigo mi cochambroso móvil Nokia. Llamé a emergencias y pedí que mandaran urgentemente una ambulancia. La mujer al otro lado de la línea apuntó mi dirección, pero me dijo que tardarían al menos diez minutos.

—¿Podría describirme el estado del enfermo? —preguntó, con voz serena y profesional.

—Está inconsciente y no respira —indiqué—. Y su piel está cambiando de color.

—Está bien, suena como si su corazón se hubiera parado. Le voy a pedir que le haga una RCP.[*] ¿Sabe lo que es eso? —preguntó.

—Sí, lo sé. Pero tendrá que ir explicándomelo poco a poco.

Me pidió que colocara al tipo de lado y comprobara que sus vías respiratorias estaban despejadas. A continuación, tenía que tumbarlo de espaldas para poder aplicar presión sobre su pecho y empezar a hacer la compresión de su corazón. Y finalmente debía practicarle la respiración boca a boca y ver si respondía.

---

[*] Resucitación cardiopulmonar. *(N. de la T.)*.

En unos segundos estaba presionando su pecho con ambas manos, contando mientras lo hacía. Cuando llegué a treinta me detuve para ver si había alguna clase de reacción.

La mujer de emergencias seguía al otro lado de la línea.

—¿Alguna respuesta? —preguntó.

—No. Nada. No respira —dije—. Lo intentaré de nuevo.

Continué intentándolo durante lo que me parecieron varios minutos, presionando su pecho furiosamente con cortas sacudidas y luego insuflando aire en su boca. Más tarde, cuando volví a recordarlo, me sorprendió lo tranquilo que me sentía. Ahora comprendo que era una de esas situaciones en las que el cerebro parece cambiar de chip. La realidad emocional de lo que estaba sucediendo no se registraba en mi mente en absoluto. En su lugar, solo me concentré en la parte física de la situación, intentando que el tipo volviera a respirar. Sin embargo, y a pesar de todos mis esfuerzos, su estado continuó siendo el mismo.

En un momento dado, empezó a hacer un sonido de goteo, como si roncara. Había oído hablar de los estertores que una persona hace con su último aliento. No quería pensar en ello, pero temía que fuera eso lo que estaba escuchando.

Después de lo que me pareció un siglo, escuché el telefonillo de mi puerta y corrí hasta mi apartamento.

—Servicio de ambulancias —anunció una voz. Apreté el botón y les pedí que subieran. Gracias a Dios nuestro maltrecho ascensor había vuelto a funcionar, por lo que llegaron a la quinta planta en pocos segundos. Arrojaron sus bolsas al suelo e inmediatamente empezaron a desplegar su equipo de reanimación con palas para aplicar descargas eléctricas. Entonces cortaron la camiseta para acceder a su pecho.

—Apártese, señor —dijo uno de ellos—. Ya nos hacemos cargo nosotros.

Durante los siguientes cinco minutos, continuaron trabajando febrilmente para conseguir una respuesta. Pero su cuerpo estaba inmóvil, flácido y sin vida. Para entonces empecé a ser consciente de la situación, y tuve que apoyarme en la puerta temblando.

Finalmente uno de los hombres de la ambulancia se retiró y se volvió hacia el otro:

—Nada. Se ha ido —declaró. Casi de mala gana y lentamente, extendieron una manta plateada sobre el cuerpo y comenzaron a recoger su equipo.

Fue como si me hubiera alcanzado un rayo. Me sentía absolutamente aturdido. Los tipos de la ambulancia me miraron y me preguntaron si me encontraba bien.

—Creo que me vendría bien entrar y sentarme un segundo —contesté.

Bob se había quedado dentro mientras se desarrollaba el drama, pero ahora apareció en el umbral, tal vez sintiendo que me encontraba mal.

—Vamos, colega, entremos en casa —dije, cogiéndole en brazos. Por alguna razón no quería que viera el cuerpo ahí tendido. Supongo que había presenciado escenas parecidas en las calles del centro de Londres, pero ahora quería protegerle.

Unos minutos después, escuché un golpe en mi puerta. La policía y algunos sanitarios estaban en el vestíbulo y un joven agente apareció en el umbral.

—Tengo entendido que usted fue quien lo encontró y llamó a emergencias —declaró.

—Sí —contesté. Había conseguido recuperarme un poco, pero aún me sentía conmocionado.

—Ha hecho lo correcto. No creo que hubiera podido hacer nada más por él —dijo el agente para tranquilizarme.

Describí cómo le había encontrado en las escaleras y le había visto desplomarse.

—Parece que le afectó muy rápido —señaló.

Le expliqué que yo era un adicto y que acaba de desintoxicarme, lo que, creo, despejó cualquier sospecha que pudieran tener sobre que estuviera relacionado con ese tipo. Conocían de sobra el modo de comportarse de los adictos, al igual que yo. En última instancia, lo único que les importa son ellos mismos. Son tan egoístas que, literalmente, son capaces de vender a su abuela o contemplar a su novia morir. Si un adicto hubiera descubierto a otro adicto sufriendo una sobredosis, hubiera hecho dos cosas; vaciar los bolsillos del pobre tipo quitándole cualquier objeto de valor y, luego, salir corriendo a toda prisa. Puede que hubiera llamado a una ambulancia, pero no habría querido verse involucrado.

Los policías también parecían estar al tanto de lo sucedido en otros tiempos en nuestro edificio y de su turbio pasado. Fueron muy comprensivos.

—Está bien, señor Bowen, esto es cuanto necesitamos por ahora, no es probable que precisemos ninguna declaración más para la investigación, pero guardaremos sus datos por si tuviéramos que volver a hablar con usted —me explicó el agente.

Conversamos durante uno o dos minutos más. Me contó que habían encontrado algún tipo de identificación en la víctima y también un bote de medicación con su nombre y dirección. Resultó que en el pabellón psiquiátrico donde estaba internado le habían dado el día libre.

Para cuando acompañé al policía de vuelta al pasillo, la escena había sido despejada completamente. Era como si nada hubiera sucedido. En los apartamentos reinaba un silencio sepulcral. A esa hora del día no parecía haber nadie alrededor.

Inmerso en ese silencio me sentí repentinamente abrumado por lo que acababa de presenciar. Ya no pude contener mis emociones por más tiempo. De vuelta en mi apartamento, rompí a llorar como un niño. Llamé a Belle con mi móvil y le pedí que se pasara por casa esa noche. Necesitaba hablar con alguien.

Estuvimos charlando hasta bien entrada la medianoche, bebiendo unas cuantas cervezas de más. No podía quitarme de la cabeza la imagen del tío desplomándose.

Continué en un leve estado de *shock* durante varios días. En cierto modo, me sentía impactado por el hecho de que ese pobre tipo hubiera muerto de esa forma. Había pasado sus últimos momentos en el suelo de un anónimo edificio de apartamentos, en compañía de un completo extraño. Esa no era la forma en que la vida debería funcionar. Era el hijo de alguien, tal vez el hermano, o incluso el padre. Debería haber estado con ellos o con sus amigos. ¿Dónde estarían estos? ¿Por qué no estaban cuidando de él? También me preguntaba por qué demonios le habían dado permiso para salir ese día del pabellón psiquiátrico, si era tan vulnerable.

Pero, para ser sincero, lo que más me impactó fue ser consciente de que ese fácilmente podría haber sido yo. Tal vez ahora suene estúpido, pero recuerdo haber pensado que, de alguna forma, me había sentido como Scrooge al ser visitado por el fantasma de su no–tan–distante pasado.

Durante la mayor parte de la década anterior, había vivido de esa forma. Yo también había sido una especie de fantasma, escondiéndome en escaleras y callejones, perdido en mi adicción a la heroína. Por supuesto, no tenía un recuerdo real de los detalles. Grandes períodos de mi vida de aquel entonces estaban sumidos en la neblina. Pero era fácil imaginar que habían existido docenas, probablemente cientos de ocasiones, en las que hubiera podido morir solo en algún anónimo rincón de Londres, muy lejos de mis padres, parientes o amigos, de los que me había distanciado.

Pensando en ello a propósito de la muerte de ese hombre, una parte de mí no podía creer que hubiese vivido de esa forma. ¿Realmente me había reducido a eso? ¿De verdad me había hecho esas cosas a mí mismo? Esa parte de mí no podía imaginar cómo demonios había sido capaz de clavar una aguja en mi carne, a veces hasta cuatro veces al día. Parecía irreal, excepto que sabía que era muy real. Aún conservaba las cicatrices, literalmente. Solo tenía que mirar mis brazos y piernas para verlas.

Las cicatrices me recordaban lo frágil que aún seguía siendo mi situación. Un adicto siempre vive en el filo de la navaja. Siempre tendría una personalidad adictiva y sabía que mi cerebro tenía una cierta inclinación a las conductas destructivas. Solo se necesitaba un momento de debilidad y podría estar otra vez en la cuesta abajo. Eso me horrorizaba. Pero también fortalecía mi decisión de continuar ese lento descenso a tierra del que mis consejeros me habían hablado. No quería ser ese hombre anónimo de la escalera nunca más. Tenía que seguir avanzando.

CAPÍTULO 6

El inspector de basuras

Todos tenemos obsesiones en la vida. La de Bob son los embalajes.

La variada colección de cajas, cartones, papeles de envolver y botellas de plástico que utilizamos en nuestro hogar a diario le resultan fascinantes, si bien algunos materiales le atraen más que otros.

El plástico de burbujas, naturalmente, es una fuente interminable de entretenimiento. ¿Qué niño no disfruta estallando las burbujas? Bob se vuelve loco de excitación cada vez que le dejo jugar con un trozo, aunque siempre trato de estar pendiente de él. Cada vez que explota una burbuja con la pata o la boca, se vuelve y me mira como si quisiera decir: «¿Has oído eso?».

El papel de regalo es otra de sus pasiones. Cada vez que desenvuelvo algún obsequio para él, muestra más interés por jugar con el bonito papel del envoltorio que con el objeto en sí. Otra cosa que le fascina irremediablemente es el crujiente y crepitante celofán que hay dentro de los paquetes de cereales o el que se usa para envolver el pan en los supermercados. Nunca deja de sorprenderme, pero puede pasarse más de media hora jugando con una bola de celofán. Las bolas de papel de aluminio de cocina también tienen el mismo efecto.

Sin embargo no hay duda sobre cuál es su embalaje favorito: las cajas de cartón. Básicamente, contempla cada caja con la que se encuentra como un juguete, un objeto diseñado para proporcionarle horas de diversión. Si alguna vez paso por delante de él con una caja de cartón en la mano, estira la pata como para atraparla. Da igual que sea una caja de cereales, un cartón de leche o una caja más grande; siempre que da un salto echando sus patas hacia delante como diciendo «dámelo, quiero jugar con eso YA».

También le encanta esconderse en las cajas grandes, una costumbre que me ha hecho estremecer en más de una ocasión.

No permito que Bob deambule fuera de nuestro apartamento por su cuenta, y en casa siempre tengo las ventanas cerradas para evitar que haga excursiones indeseadas. (Sabía que los gatos tienen la habilidad de adoptar en el aire la postura más adecuada para caer bien y estábamos «solo» en el quinto piso, pero no quería que pusiera a prueba su habilidad para volar). Así que cuando una tarde de verano no pude encontrarlo en ninguno de sus lugares habituales, sentí que me invadía un leve pánico.

—¡Bob, Bob!, ¿dónde estás, colega? —inquirí.

Busqué por todas partes en un proceso que no me llevó demasiado tiempo debido a lo reducido de mi apartamento. Pero no había señales de él en mi dormitorio, ni en la cocina o el cuarto de baño. Empezaba a estar seriamente preocupado por su bienestar cuando, de repente, me acordé de una caja de ropa usada que me habían dado en la beneficencia y que había guardado en el armario fresquera para ventilar. Como no podía ser de otra forma, abrí el armario y encontré una llamativa silueta pelirroja sumergida en medio de la caja.

Poco tiempo después, Bob volvió a repetir la jugada, aunque esta vez estuvo a punto de tener consecuencias desastrosas.

Belle se había pasado por casa para ayudarme a poner un poco de orden. Ni siquiera en sus mejores momentos podía considerarse el hogar más organizado y ordenado. No ayudaba demasiado que durante años hubiera sido una especie de coleccionista. No sé si subconscientemente abrigaba sueños de abrir una tienda de objetos usados o por qué me sentía fascinado por las cosas antiguas, pero, de alguna forma, había ido coleccionando toda clase de cachivaches, desde libros viejos a mapas, radios rotas o tostadoras.

Belle me había convencido para que me deshiciera de parte de esa basura vieja, por lo que habíamos organizado unas cuantas cajas de cartón, llenándolas hasta arriba. Íbamos a tirar algunas a la basura y otras a llevarlas a tiendas de beneficencia o al punto local de reciclado. Belle estaba llevando una de las cajas a la zona de basuras en el exterior del edificio y esperaba a que llegara el ascensor cuando sintió que su caja se agitaba. Se asustó y pude oír como gritaba desde mi apartamento. Cuando llegué a la puerta para averiguar cuál era el problema, había dejado caer la caja al suelo, encontrando a Bob en el interior. Por lo visto, estaba tratando de abrirse paso entre una vieja pila de libros y revistas donde se había hecho un ovillo para dar una cabezadita.

Poco después del incidente, acabé haciéndole una camita con una caja de cartón. Me figuré que si dormía en una, tal vez dejaría de estar tan obsesionado por ellas. Corté uno de los laterales de una caja y cubrí el fondo con una pequeña manta. Se le veía muy cómodo ahí dentro. Le encantó.

Sin embargo, aquello no consiguió librarle del todo de su obsesión. Continuó mostrando un profundo interés por el cubo de basura de la cocina. Cada vez que metía algo en él, se alzaba sobre sus patas traseras y metía el hocico en el interior. Y si alguna vez le desafiaba, me lanzaba una mirada como queriendo decir: «¿Qué has tirado ahí dentro? Aún no he decidido si quiero jugar con eso o no». Durante un tiempo, estuve llamándole en broma el inspector de basuras, si bien no siempre era un tema para reírse.

Una mañana en que acababa de darme un baño escuché unos ruidos extraños que venían de la cocina. Distinguí un sonido como de lata y metal raspados, como de algo que se arrastraba. Iba acompañado por una especie de suave maullido lastimero.

—Bob, ¿qué estás haciendo? —dije, agarrando una toalla para secarme el pelo mientras salía a investigar.

No pude evitar reírme ante la visión que me encontré.

Bob estaba en medio del suelo de la cocina con una lata vacía de comida para gatos encasquetada en la cabeza. La lata se mantenía en un ángulo extraño justo por encima de la línea de sus ojos. Parecía un cruce entre el Caballero Negro de la película *Los caballeros de la mesa cuadrada (y sus locos seguidores)* de Monty Python y un guardia real del palacio de Buckingham con su sombrero de piel de oso colgando sobre los ojos.

Estaba claro que no podía ver demasiado porque caminaba marcha atrás a través del suelo de la cocina, arrastrando la lata con él en un intento por liberarse. Ponía mucho esmero, retrocediendo con cuidado, un paso tras otro y, ocasionalmente, me-

neando la lata o levantándola ligeramente antes de darle un golpecito contra el suelo con la esperanza de que el impacto pudiera desencajarla de su cabeza. Su plan no estaba funcionando. Era
un espectáculo muy cómico.

No hacía falta ser Hércules Poirot ni Colombo para deducir lo que había sucedido. En un rincón de la habitación, pude
ver la bolsa de plástico negra de basura que pensaba bajar esa
mañana al cuarto de los contenedores en el exterior del edificio. Normalmente solía vaciar la basura y sacar la bolsa por la
noche, sobre todo para impedir que Bob jugara con ella. Pero
ese día, por alguna razón, había olvidado hacerlo, dejándola en
el suelo de la cocina. Craso error.

Estaba claro que Bob se había aprovechado de mi ausen-
cia para desgarrar y husmear en el fondo de la bolsa y así poder
probar suerte entre los desperdicios. No había encontrado nada
por lo que a cartones se refiere, pero a cambio había dado con
una vieja lata. Lamentablemente para él, en su entusiasmo por
explorar su contenido, se le había quedado media cabeza enca-
jada dentro. Era la clase de cosas que se pueden ver constantemente en YouTube o en uno de esos programas de videoafi-
cionados. Se había metido solo en ese lío y ahora emitía unos
tristes y patéticos gemidos.

No era la primera vez que hacía algo así. Un día que estaba sentado en el salón escuché un extraño sonido proveniente
de la cocina, una especie de suave golpeteo: *pat... pat... pat,* seguido por otro más rápido: *pat, pat, pat, pat.*

Encontré a Bob yendo de un lado a otro con una pequeña tarrina individual de mantequilla pegada a una de sus patas.
Le encantaba la mantequilla, por lo que cuando la había encontrado no había podido evitar meter la pata para luego chupar-
la. De alguna forma, la pata se le había quedado atascada den-

tro del envase y ahora caminaba pegado a él. De vez en cuando alzaba la pata y la golpeaba contra la puerta de un armario para intentar liberarla. Al final tuve que ayudarle a quitársela. Estaba claro que ahora iba a tener que hacer lo mismo.

Saltaba a la vista que se sentía un tanto compadecido de sí mismo y sabía que había hecho una tontería.

—Bob, tontorrón. ¿Qué has hecho? —le pregunté, al agacharme para ayudarle. Menos mal que no había metido totalmente la cabeza dentro de la lata, pensé. Tenía un borde dentado por la parte donde se había abierto y tuve que poner cuidado al sacársela de la cabeza. Olfateé el interior de la lata. No era un olor demasiado agradable, eso seguro.

En el instante en que desatasqué la parte alta de su cabeza de la lata, Bob se escabulló a un rincón. Tenía restos de comida pegados en la oreja y en la parte de atrás del cogote, por lo que empezó lamerse y lavarse frenéticamente. Mientras lo hacía no dejaba de lanzarme miradas avergonzadas, como si quisiera decirme: «Sí, ya sé que ha sido una tontería. Pero no intentes convencerme de que tú no has hecho alguna vez una tontería».

Cuando nos dirigimos al trabajo, casi una hora después del percance, aún lucía la misma expresión avergonzada y yo aún sonreía para mis adentros.

La primera señal de que algo raro pasaba apareció unos pocos días más tarde, cuando comenzó a comer de forma más compulsiva de lo habitual. La dieta diaria de Bob suponía toda una rutina establecida desde hacía mucho tiempo. A pesar de que el dinero siempre escaseaba, trataba de darle la comida más adecuada de una de las marcas más populares de alimentación para gatos. Se la racionaba cuidadosamente, siguiendo las recomendaciones indicadas. De modo que, por la mañana, tomaba una taza rasa de galletas con alto contenido nutritivo y, al final del día, aproximadamente una hora antes de acostarse, le daba otra media taza de galletas junto con medio envase de carne para su cena.

Complementaba estas dos comidas con las pequeñas golosinas que le daba mientras estábamos trabajando. Siempre había sido más que suficiente para mantenerle feliz y sano. De hecho, normalmente dejaba alrededor de un cuarto de sus galletas matinales porque le resultaba excesivo. Algunas veces las dejaba ahí, y otras se las comía justo antes de marcharnos al trabajo, como un aperitivo de media mañana.

Unos días después de que se le atascara la cabeza dentro de la lata, observé que devoraba su desayuno en la mitad de tiempo e, incluso, lamía el cuenco hasta dejarlo limpio.

Además se estaba volviendo más exigente. Yo siempre decidía cuándo darle alguna recompensa por sus trucos. Pero ahora empezó a pedir los premios por su cuenta. Por no hablar de que había también algo diferente en su forma de exigirlos. No era la típica súplica con mirada de «Gato con Botas». Era como si estuviera realmente ansioso por comer. Y lo mismo sucedía al llegar a casa. Por lo general, era muy tranquilo a la hora de exigir su cena, pero ahora empezaba a acosarme tan pronto entrábamos por la puerta. Se le veía muy agitado hasta que le llenaba su cuenco. Y una vez más, lo devoraba a toda prisa, poniéndome al acabar una mirada directamente sacada de Oliver Twist. «Por favor, papá, ¿puedo tomar un poco más?».

Sin embargo lo más alarmante era que después de una semana o más de comportarse así, no había ganado nada de peso.

«Esto es muy raro», me dije una tarde cuando, al terminar su cena, seguía mirándome como si pudiera zamparse sin problemas otra ración.

A mis sospechas de que algo iba mal, debía sumar el hecho de que hiciera sus necesidades más a menudo. Bob era, como la mayoría de los gatos, una criatura de costumbres cuando se trataba de ir al baño. A lo largo de los años, había superado su rechazo a utilizar el cajón de arena en casa y hacía sus necesidades allí por la mañana y luego repetía cuando llegábamos al centro de Londres. Sin embargo, de repente, este hábito cambió y empezó a utilizarlo tres o cuatro veces cada día. O puede que incluso más, por lo que yo sabía. Una vez llegué a pillarle utilizando el inodoro del cuarto de baño. Pero, por alguna razón, no le había vuelto a ver usándolo. Puede que no le gustara que le mirara. Pero cuando empecé a preocuparme por ese cambio de hábitos, advertí que el agua del inodoro a veces estaba un poco sucia.

También empezó a pedirme que le llevara más veces a hacer sus necesidades cuando estábamos en Angel. Tener que recoger las cosas y dirigirnos hasta el pequeño parterre ajardinado de Green para que pudiera aliviarse era todo un engorro, pero no me quedaba más remedio.

—¿Qué pasa contigo, Bob? —le dije, perdiendo la paciencia con él unos días después de eso. Me puso una mirada distante, como diciendo que me metiera en mis asuntos.

Pero cuando realmente fui consciente de que había un problema de verdad fue cuando le vi arrastrar su trasero por el suelo. La primera vez que lo advertí fue una mañana poco después de haberme despertado. Parecía muy concentrado en frotar su trasero contra la moqueta del salón.

No me hizo ninguna gracia.

—Bob, qué asco, ¿qué crees que estás haciendo? —le espeté.

Pero pronto comprendí que eso significaba que había algún problema. Como de costumbre, andaba corto de dinero y no quería gastarlo en una visita al veterinario y en la inevitable medicación que le recetarían. De modo que, a la mañana siguiente, de camino al trabajo, decidí pasarme por la biblioteca local y realizar una búsqueda en Internet. Tenía mis sospechas, pero debía asegurarme. Suponía que se trataba de algún tipo de infección de estómago relacionada con un parásito. Eso no explicaba necesariamente su hambre, pero sí encajaba con lo de hacer sus necesidades más a menudo y frotarse el trasero contra el suelo.

Mi mayor temor era que se tratara de alguna infección parasitaria. Mi mente retrocedió a mi infancia en Australia, cuando fui testigo de cómo varios gatos desarrollaban lombrices. No era algo agradable de presenciar, y además era contagioso. Un montón de niños en Australia suelen tener lombrices a causa de sus gatos. De hecho, es muy habitual.

Obviamente, buscar enfermedades en Internet es el error más grave que uno puede cometer. Ya lo había hecho antes pero, al parecer, no había aprendido la lección. Como era de esperar, en menos de media hora estaba convencido de que los síntomas de Bob se correspondían con una clase de lombrices muy peligrosa, anquilostoma o tenia. Ninguna de ellas suponía una enfermedad letal, pero podría ser realmente molesto, ya que causaba severas pérdidas de peso y un deterioro del pelaje si no era tratado a tiempo.

Sabía que no me quedaba más opción que examinar sus heces la próxima vez que fuera al baño. No tuve que esperar demasiado. Menos de una hora después de habernos establecido en Angel, empezó a hacer esos extraños ruidos y gestos indicativos y tuve que llevarle hasta la zona ajardinada de Green. Reuní fuerzas para echar una rápida ojeada antes de que tapara su caca con tierra. No le hizo ninguna gracia mi intrusión.

—Lo siento, Bob, pero debo echar un vistazo —dije, inspeccionando sus deposiciones con un palito.

Tal vez parezca extraño, pero me sentí feliz cuando descubrí que había unas pequeñas y blancas criaturas en ellas. Eran lombrices comunes, aunque muy pequeñas.

—Al menos no es la tenia o un anquilostoma —me consolé durante el resto del día.

Esa tarde, al volver a casa, sentía una extraña y confusa mezcla de emociones. Mi parte de propietario responsable de un gato estaba realmente disgustada. Trataba de poner mucha atención con su dieta, evitando carnes crudas y otros alimentos conocidos por su riesgo de producir lombrices. Además era muy diligente a la hora de vigilar que no tuviera pulgas, que pueden actuar como posibles transmisoras de ellas. Eso sin contar con que Bob era un gato muy limpio y sano, y que yo mismo me aseguraba de que el apartamento estuviera en condiciones decentes para vivir. Sentía como si hubiera cometido algún fallo. Pero, por otro lado, también estaba aliviado, porque ahora sabía lo que debía hacer.

Casualmente, sabía que la furgoneta de la Cruz Azul iba a estar en Islington Green al día siguiente. Así que esa mañana me aseguré de salir más temprano para evitar las largas colas que siempre se forman antes del comienzo de las consultas.

El personal de allí ya nos conocía; habíamos sido visitantes regulares a lo largo de estos años. Allí fue donde le pusieron el microchip a Bob y donde tuve que acudir a lo largo de un año para ir pagando los plazos que había contraído por ese y otros tratamientos. También había hecho que le examinaran con frecuencia, incluyendo, irónicamente, el tratamiento antipulgas.

El veterinario de servicio esa mañana me pidió que le describiera el problema, examinó por encima a Bob y también la muestra de sus heces que llevé en un pequeño envase de plástico y que había guardado en casa antes de llegar a una predecible conclusión.

—Sí, me temo que tiene lombrices, James —indicó—. ¿Qué ha estado comiendo últimamente? ¿Algo fuera de lo normal? ¿Ha estado husmeando en la basura o algo por el estilo?

Fue como si una luz se encendiera en mi cabeza. Me sentí como un estúpido.

—Oh, Dios mío, sí.

Me había olvidado totalmente del incidente de la lata. Debió de encontrar un trozo de pollo o de carne en mal estado dentro. ¿Cómo no había sido capaz de verlo?

El veterinario me prescribió un plan para su tratamiento y una jeringuilla para darle la medicación.

—¿Cuánto tiempo tardará en limpiarse? —pregunté.

—Debería mejorar en pocos días, James —indicó—. Hazme saber si los síntomas persisten.

Dos años antes, cuando llevé a Bob por primera vez y tuve que administrarle antibióticos, la única forma de hacerlo era a mano, insertando las pastillas en su boca y luego frotando su garganta para ayudarle a tragarlas hasta el estómago. En teoría, la jeringuilla iba a facilitarme el proceso. Pero aun así tendría que lograr que confiara en mí para que me permitiera introducir el líquido por su garganta.

De vuelta en el apartamento esa noche, pude advertir que no le gustaba demasiado el aspecto de la jeringuilla. Pero, una vez más, me demostró lo mucho que confiaba en mí al dejarme introducirle el tubo de plástico en la boca y verterle la medicina por la garganta. Supuse que sabía que nunca le haría nada que no fuera absolutamente necesario.

Como había pronosticado el veterinario, en pocos días Bob volvió a ser el mismo. Su apetito disminuyó y pronto estuvo comiendo y haciendo sus necesidades con normalidad.

Al reflexionar sobre lo sucedido, me di un toque de atención. La responsabilidad de cuidar de Bob había sido una fuerza muy positiva en mi vida. Pero debía aprender a gestionar mejor esa responsabilidad. No era un trabajo a tiempo parcial del que pudiera desentenderme cuando me apeteciera.

Me sentí especialmente negligente, puesto que no era la primera vez que Bob se indisponía a causa de su hábito de husmear en la basura. Hacía más o menos un año, también se había puesto malo después de investigar en los contenedores del cuarto de basuras del edificio.

Me dije a mí mismo que no podía volver a dejar una bolsa de basura en el suelo. Había sido una estupidez por mi parte hacerlo. Incluso si todo estaba bien cerrado, Bob era tan resolutivo e inquisitivo que siempre encontraría una forma de abrirlo.

Pero por encima de todo me sentía muy aliviado. No era frecuente que Bob se encontrara indispuesto o enfermo, pero cuando lo estaba, mi parte pesimista siempre llegaba a las peores conclusiones. Por inverosímil y dramático que fuera, durante los últimos días había llegado a imaginarlo muerto mientras yo tenía que seguir viviendo sin él. Era una perspectiva demasiado aterradora de contemplar.

Siempre he dicho que éramos socios, que nos necesitábamos por igual. Pero muy en el fondo, sabía que eso no era cierto. Yo le necesitaba mucho más.

CAPÍTULO 7

El gato sobre un tejado de Hoxton

Bob y yo siempre hemos formado una pareja bastante inconfundible. Después de todo, no se ven demasiados tíos de metro ochenta caminando por las calles de Londres con un gato pelirrojo encaramado sobre sus hombros. Y lo cierto es que la gente se volvía para mirarnos.

No obstante, durante algunos meses entre el verano y el otoño de 2009, nos convertimos todavía más en centro de atención. Lamentablemente, yo estaba demasiado dolorido como para disfrutar de ese interés.

Los problemas habían empezado el año anterior, cuando viajé a Australia para visitar a mi madre. Mi madre y yo siempre habíamos tenido una relación difícil y durante gran parte de la última década prácticamente nos habíamos convertido en unos extraños. Aparte de una breve visita a Londres, la última vez que la había visto fue cuando me despidió en el aeropuerto. Yo tenía dieciocho años y abandonaba Australia para «convertirme en un músico de provecho» en Londres. En la década perdida que siguió, apenas hablamos unas cuantas veces. El tiempo había cicatrizado las heridas, así que, cuando me ofreció pagarme el billete para que la visitara en Tasmania, decidí que era el momento de hacerlo.

Con la ayuda de Bob había logrado dar un salto importante y desengancharme de la metadona. Pero el proceso me había dejado un tanto debilitado y necesitaba un descanso. Bob se quedó con mi amiga Belle en su apartamento cerca de Hoxton, al norte de Londres, no muy lejos de Angel.

Los largos trayectos en avión de ida y vuelta de Australia habían acabado pasándome factura físicamente. Conocía los riesgos de estar tantas horas sentado inmóvil en los vuelos de larga distancia, especialmente cuando eres alto como yo y, aunque había hecho cuanto estaba en mi mano para no quedarme anquilosado demasiado tiempo en el asiento, poniendo un gran empeño en pasear por el avión, había vuelto a casa con un punzante dolor en la parte superior de mi muslo.

En un primer momento las molestias eran soportables, y conseguí controlarlas tomando los típicos analgésicos sin receta. Pero, de forma lenta y progresiva, el dolor fue empeorando. Empecé a notar una molesta sensación de calambres, como si mi sangre hubiera dejado de fluir y mis músculos se estuvieran agarrotando. Sé que ningún ser humano puede sentir el *rigor mortis*, pero tenía la sospecha de que si fuera posible, esa sería la sensación. Era como si tuviera la pierna de un zombi.

En poco tiempo, el dolor se volvió tan insoportable que no podía sentarme o tumbarme con la pierna en una posición normal. Si lo hacía, me exponía a un constante malestar muscular. Así que cada vez que veía la televisión o hacía alguna comida en el apartamento, tenía que sentarme con la pierna apoyada en un cojín o en otra silla. Cuando llegaba la hora de acostarme, debía colocar un cojín en la cama y poner el pie en alto.

Había ido a ver al médico un par de veces, pero se limitó a prescribirme analgésicos más fuertes. Durante los oscuros días de mi adicción a la heroína, me había llegado a pinchar en todas las partes del cuerpo, incluyendo la ingle. Por eso estaba seguro de que pensaban que mi situación era, de alguna forma, una especie de secuela por los abusos de mi pasado. Tampoco yo insistía demasiado, una parte de mí estaba acostumbrada a que me despacharan con evasivas. Además eso solo reforzaba la antigua sensación adquirida en mi etapa de persona sin hogar de ser, de alguna manera, invisible; de que la sociedad no me consideraba alguien por quien valiera la pena preocuparse.

El verdadero problema para mí es que aún necesitaba ganarme el sustento. Y eso significaba que, por muchas molestias que sintiera, debía levantarme de la cama y acudir a Angel diariamente.

No era fácil. En cuanto ponía el pie en el suelo, el dolor ascendía por mi pierna como una descarga eléctrica. Solo podía dar tres o cuatro pasos seguidos. De modo que la caminata para llegar a la parada del autobús se había convertido en un maratón, puesto que tardaba dos o tres veces más que antes en completarla.

Al principio Bob no sabía cómo tomárselo. No dejaba de lanzarme miradas intrigadas, como diciendo: «¿Qué estás haciendo, colega?». Pero como era un chico listo, pronto comprendió que algo no iba bien y, en consecuencia, empezó a cambiar su comportamiento. Por las mañanas, por ejemplo, en lugar de saludarme con su repertorio habitual de sonidos, topetazos y miradas suplicantes, me observaba con ojos inquisitivos y una expresión ligeramente compasiva. Era como si dijera: «¿Te encuentras mejor hoy?».

Y lo mismo sucedía cuando nos dirigíamos al trabajo. A menudo caminaba a mi lado en lugar de adoptar su posición habitual en mis hombros. Obviamente prefería viajar en la cubierta superior, por decirlo de alguna forma, pero intentaba trotar a mi lado siempre que podía. Creo que notaba lo dolorido que me sentía.

De hecho, cuando le parecía que llevaba demasiado tiempo deambulando por la calle, me hacía parar y sentarme. Se interponía en mi camino, tratando de dirigirme hacia algún banco o murete donde pudiera descansar un momento. Yo pensaba que era mejor completar el paseo de una vez en lugar de parar cada pocos pasos así que, durante un tiempo, aquello se convirtió en una auténtica batalla de voluntades.

Debía ser todo un espectáculo para la gente de Tottenham vernos emprender la marcha hacia la carretera cercana a mi edificio. Cada vez que Bob me oía quejarme de dolor, se detenía y me lanzaba una mirada como sugiriendo que debería hacer un alto o sentarme. Yo le miraba y contestaba: «No, Bob, necesito continuar». Si no hubiera estado tan mal, probablemente yo mismo lo habría encontrado muy divertido. Sin duda parecíamos un veterano y quisquilloso matrimonio.

Después de un tiempo, sin embargo, resultó evidente que no podía continuar así. A menudo regresaba a casa exhausto, solo para descubrir que el ascensor había vuelto a estropearse. La ascensión hasta la quinta planta resultaba un auténtico calvario, que se hacía eterno. Así que empecé a quedarme en casa de Belle.

Su casa tenía un montón de ventajas. Para empezar el apartamento estaba en la primera planta y no en la quinta, lo que me ahorraba un montón de sufrimiento. Además, acudir al trabajo desde allí era mucho menos doloroso, pues tenía una parada de autobús a pocos metros.

La medida me ayudó un poco, pero el dolor continuó aumentando gradualmente. Mi pavor por poner el pie en el suelo era ahora tan grande que una mañana decidí fabricarme una muleta. Con Bob a remolque, me dirigí al bonito parquecillo cerca del apartamento de Belle donde encontré una rama caída de un árbol que encajaba perfectamente debajo de mi brazo, permitiéndome aliviar el peso de mi pierna dolorida cuando caminaba. Solo me costó un día o dos acostumbrarme a ella.

Lógicamente, atraje un montón de miradas extrañadas. Con mi pelo largo y mi barba descuidada, debía parecer un moderno Merlín o Gandalf de *El señor de los anillos*. Por si eso no fuera suficientemente raro, la visión de un gato pelirrojo acomodado en mi hombro debía conjurar imágenes de magos caminando con alguno de los animales que usan para sus hechizos. Pero lo cierto es que en esos momentos no me importaba el aspecto que tuviéramos. Cualquier cosa que apaciguara mi dolor era bienvenida.

Llegar a cualquier parte caminando se había convertido en una auténtica pesadilla. Cada pocos pasos tenía que apoyarme o sentarme en el muro de ladrillos más cercano. Intenté usar la bicicleta para desplazarme pero fue totalmente imposible. En cuanto aplicaba un poco de presión al pedal con mi pierna derecha era una agonía. El Bobmóvil se había quedado en el vestíbulo de mi casa en Tottenham, acumulando polvo.

Era evidente que Bob comprendía que algo malo me pasaba y a veces tenía la impresión de que estaba perdiendo la paciencia. Algunas mañanas, cuando me veía luchar para ponerme los pantalones y poder ir a trabajar, me fulminaba con la mirada como diciendo: «¿Por qué estás haciendo esto? ¿Por qué no te quedas en la cama?». La respuesta, por supuesto, era que no me quedaba elección. Estábamos sin blanca, como de costumbre.

Mi rutina diaria se había convertido en un auténtico calvario. Nos bajábamos del autobús en Islington Green y nos dirigíamos a la pequeña zona ajardinada donde Bob solía hacer sus necesidades. Desde allí, iba renqueando hasta el puesto de la coordinadora de *The Big Issue*, que estaba delante de un Starbucks. Luego cruzaba la calle principal y me encaminaba a la estación de metro, a nuestro puesto.

Tener que permanecer allí de pie durante cinco o seis horas era impensable. Me habría desmayado. Por suerte, uno de los floristas situado a las puertas de la estación del metro vio un día el estado en que me encontraba y se acercó con un par de cubos de los que usaba para meter las flores.

—Aquí tienes, siéntate en esto. Y haz que Bob se siente en el otro —me sugirió, dándome una palmadita de ánimo en la espalda.

Se lo agradecí en el alma. No había forma humana de que pudiera aguantar de pie más de unos pocos minutos seguidos.

Al principio, me preocupó que permanecer sentado en el cubo pudiera traerme consecuencias desastrosas para el negocio. (La gente suele reírse cuando digo que vender *The Big Issue* es un negocio, pero es exactamente eso. Tienes que comprar ejemplares de la revista para poder venderlos, y como vendedor, debes hacer cálculos ajustados y decidir cuántos ejemplares vas a necesitar a lo largo de la semana en función de tu presupuesto. De hecho, el principio no es muy diferente a llevar una gigantesca corporación, y los riesgos eran igual de altos, si no más. Si triunfas sobrevives, si fracasas te puedes morir de hambre). Habitualmente suelo recorrer la zona de delante de la estación de metro engatusando y camelándome a la gente para que gaste algunas monedas del sueldo que tanto les cuesta ganar. Cuando tuve que sentarme en el cubo, me aterrorizaba volverme invisible para la gente. Pero debía haberlo imaginado. Bob se hizo cargo de la situación.

Tal vez fuera porque me pasaba la mayor parte del tiempo sentado con él, pero durante esa época se convirtió en un auténtico espectáculo. En el pasado, solía ser yo el que marcaba el comienzo de nuestros juegos, pero ahora era él quien tomaba la iniciativa. Se frotaba contra mí y me miraba como diciendo: «Vamos, colega, saca mis galletitas, hagamos algún truco y ganemos un poco de pasta». Había momentos en que hubiera jurado que sabía exactamente lo que estaba pasando o que había deducido que cuanto antes sacáramos una cantidad suficiente de dinero, antes volveríamos a casa y podría descansar mi pierna. Era sobrecogedor advertir lo mucho que entendía.

Me habría gustado poder ver la vida con tanta claridad.

Vivir en casa de Belle con Bob tenía sus ventajas y sus inconvenientes. Todavía seguía desesperado por averiguar cuál era el problema de mi pierna, pero confiaba en que dejándola descansar el problema, de alguna forma, desaparecería. Mientras pasaba cada vez más tiempo tumbado, Belle me cuidaba, haciéndome apetitosas comidas y lavando mi ropa, y Bob parecía llevarse bien con ella. Durante el tiempo que permaneció en su casa mientras yo estaba en Australia, habían formado un fuerte vínculo. Hasta el punto de que Belle era la única persona, además de mí, a quien permitía que le cogiera en brazos.

No había duda de que veía su casa como un refugio seguro. El año anterior, cuando escapó de Angel una tarde después de ser atacado por un perro, se dirigió directamente al apartamento de Belle, a pesar de que estaba bastante lejos. Me llevó horas deducir que se había refugiado allí. Fue la noche más larga de mi vida.

La proximidad de su relación sin duda le hacía la vida más fácil. Pero también le permitía cometer más travesuras.

Una mañana me levanté y fui a la cocina para hacerme una taza de café, esperando encontrarme a Bob allí plantado. Al igual que en casa, solía merodear por la cocina a primera hora de la mañana, principalmente con la esperanza de poder picotear cualquier resto de comida que hubiera. Había momentos en que podía ser un auténtico glotón.

Ese día, sin embargo, no había rastro de él. Ni tampoco de Belle.

Había estado lloviendo con fuerza toda la mañana, pero ahora el cielo se había despejado dando paso a un día soleado y luminoso con la temperatura en ascenso. El pronóstico del tiempo había anunciado un calor sofocante para última hora de la tarde. Advertí que Belle había abierto la ventana de la cocina para dejar entrar un poco de aire fresco en el apartamento.

—Bob, ¿dónde estás, colega? —llamé, empezando a buscarle tal y como estaba vestido, con los calzoncillos y una camiseta.

No había señales de él ni de Belle en el salón o en la entrada, así que me dirigí a la habitación donde Belle dormía. Cuando vi que su ventana también estaba entreabierta, tuve una inmediata sensación de desazón.

El apartamento de Belle estaba en la primera planta y el dormitorio de la parte de atrás daba a la cubierta del piso de la planta baja que se extendía por debajo del nuestro. A su vez ese tejado cubría parcialmente el patio y, más allá, estaba el aparcamiento del edificio. Desde allí apenas había un corto paseo hasta la calle principal, una de las más transitadas de esa parte del norte de Londres.

—Oh, no, Bob, no se te habrá ocurrido salir, ¿verdad?

Conseguí asomar la cabeza a través de la apertura de la ventana y examinar las terrazas de más abajo. Había toda una extensión de tejadillos a lo largo de las viviendas de la planta baja del edificio. Como no podía ser de otra forma, cinco pisos más allá, estaba Bob sentado, tomando el sol.

Cuando le llamé, giró lentamente la cabeza en mi dirección, lanzándome una mirada confundida. Como si me preguntara: «¿Qué pasa?».

No me importaba que tomara el sol. Pero me preocupaba el hecho de que pudiera escurrirse por el resbaladizo y húmedo tejadillo, o que saltara directamente al patio y desde allí cruzara por el aparcamiento a la carretera principal.

Me entró el pánico y empecé a soltar el cierre de seguridad de la ventana para poder abrirla del todo y trepar al tejado. Después de unos pocos minutos, conseguí colarme por la abertura. Aún seguía sin vestir.

Las tejas de pizarra estaban resbaladizas por la lluvia que había caído a primera hora de la mañana, de modo que no era fácil sujetarse, especialmente debido al dolor de mi pierna. Sin embargo, conseguí arrastrarme por los tejados hasta donde Bob estaba sentado. Me encontraba a pocos pasos cuando comprendí que era una misión inútil.

Bob, súbitamente se incorporó y echó a correr de vuelta por los tejadillos, pasando con indiferencia por delante de mí. Cuando traté de cogerle, me gruñó e hizo un rápido movimiento hacia la ventana abierta de Belle. Una vez más, me lanzó una mirada desdeñosa antes de desaparecer rápidamente en el interior. Yo, por supuesto, tenía un buen trecho de vuel-

ta que recorrer. Me llevó varios minutos atravesar las resbaladizas tejas. Y, para mi vergüenza, un par de rostros se asomaron
por las ventanas. La mirada de sus caras lo decía todo. Era una
mezcla de asombro, lástima e hilaridad.

Momentos después de que consiguiera entrar sano y salvo
en el apartamento, escuché la puerta de entrada cerrarse y vi a Belle
de pie en el vestíbulo con una pequeña bolsa del supermercado.

Se echó a reír.

—¿Dónde demonios has estado? —preguntó.

—En el maldito tejado tratando de rescatar a Bob —respondí.

—Oh, suele pasar allí todo el tiempo —indicó con gesto
despectivo de la mano—. Incluso baja al patio algunas veces. Y
luego vuelve a subir.

—Me hubiera gustado que me lo contaras antes —repliqué al tiempo que me tambaleaba hasta mi dormitorio provi-
sional para ponerme algo de ropa.

Sin embargo, no pasó mucho tiempo antes de que se cam-
biaran las tornas. Y muy pronto fue Belle quien estaba maldi-
ciendo su temperamento curioso.

Como yo había descubierto de primera mano, a Bob le gustaba explorar el patio trasero del edificio de Belle, aprovechán-
dose de estar en una primera planta y no en un quinto piso.

En cierta medida era algo saludable. A Bob le gustaba salir
a hacer sus necesidades allí por las mañanas y por las tardes. Pero,
por supuesto, eso también le permitía ejercitar sus otros instintos naturales.

Sabía que cazar formaba parte de su ADN. Por mucho que
la gente crea que son unas criaturas encantadoras y suaves como
bolas de peluche, los gatos también son depredadores —depredadores realmente efectivos—. A medida que nos íbamos aco-
modando en casa de Belle, él empezó a traernos obsequios. Un

día que estábamos sentados en el salón apareció con un pequeño ratón colgando de su boca y lo dejó con mucho cuidado a mis
pies, como si me ofreciera un regalo.

Le regañé por hacerlo.

—Bob, si te comes eso volverás a ponerte malo —dije.

Para ser sinceros, sabía que no había nada que pudiera hacer,
aparte de mantenerle en arresto domiciliario, lo que no deseaba.
Y, a estas alturas, tampoco era cuestión de ponerle un cascabel.

Como era de prever, eso significó que su comportamiento se hiciera más atrevido.

Una mañana, estaba sentado en la cama leyendo cuando
escuché un grito de lo más aterrador. Era Belle.

—¡Oh, Dios mío, Dios mío!

Salté de la cama y corrí hacia el salón donde ella estaba
planchando. Allí, encima de una pila de camisas recién plan-
chadas y sábanas, había una pequeña rana marrón.

—¡James, James, atrápala, deshazte de ella! Por favor —supli-
có, un poco más calmada.

Advertí que Bob estaba junto a la puerta observando todo
con atención. Había una extraña expresión en su cara, que solo
podía calificar de traviesa. Era como si supiera exactamente lo
que estaba pasando.

Atrapé la rana con las dos manos. Y luego salí del apartamento y me dirigí hacia la zona trasera del edificio con Bob
siguiéndome a cada paso.

Volví al apartamento y retomé la lectura del libro olvi-
dándome del incidente. Pero entonces, aproximadamente una
hora después, escuché otro grito acompañado del sonido de algo
golpeando la pared. Esta vez venía del vestíbulo.

—¿Qué pasa ahora? —pregunté dirigiéndome hacia el alboroto.

Belle estaba en un extremo del pasillo con las manos en la cabeza y una expresión aterrorizada en el rostro. Señalaba al pasillo hacia un par de zapatillas que claramente había lanzado a propósito.

—Ahora está dentro de la zapatilla —indicó.

—¿Qué es lo que está en tu zapatilla? —pregunté, perplejo.

—La rana.

Tuve que contener una carcajada. Una vez más atrapé la rana y la saqué al jardín. Bob iba de nuevo detrás de mí, intentando hacerme creer que el hecho de que la rana hubiera aparecido dos veces en el apartamento en menos de una hora, era una simple coincidencia.

—Quédate ahí, colega —ordené, comprendiendo que esta vez tendría que dejar a la rana en un lugar seguro.

Me miró desdeñosamente y luego se dio la vuelta para entrar en el apartamento como diciendo: «¡No eres nada divertido!».

Por muy cómodo que estuviera en casa de Belle, después de un tiempo comprendí que no era la situación ideal, especialmente para mi relación con Bob.

El dolor de la pierna me había vuelto más irascible y, en general, una compañía menos divertida que de costumbre. Así que, inevitablemente, con el transcurso de los días, Bob y yo empezamos a pasar menos tiempo juntos. Percibiendo que cada vez dormía más y no me encontraba de muy buen humor al despertarme, ya no entraba tan a menudo en el dormitorio para jugar por las mañanas. En su lugar, Belle solía prepararle muchos días el desayuno. Además le gustaba escaparse por la ventana regularmente para explorar el patio trasero de las casas, desapareciendo durante largos ratos. Imagino que se lo pasaba bomba.

Por otra parte, estaba casi seguro de que comía por ahí. Había empezado a volver de sus excursiones por los tejados y el patio alrededor de la hora de cenar. Pero cuando Belle o yo le poníamos el cuenco de comida, apenas lo tocaba y se limitaba a jugar con él. Al principio, se me encogió el corazón. «Está volviendo a comer en los cubos de basura», me dije. Pero Belle y yo comprobamos la zona de residuos de la parte de atrás del edificio y llegamos a la conclusión de que no tenía forma de acceder a los gigantescos y cerrados contenedores. La explicación debía estar en otra parte.

Un día, cuando nos dirigíamos al trabajo, me crucé con un señor mayor en el vestíbulo que estaba recogiendo su correo. Bob lo vio y le miró con expresión de reconocimiento.

—Hola, amiguito —dijo el hombre—. Me alegra volver a verte.

De pronto todo cobró sentido. Recordé ese libro infantil *Sixto Seis Cenas* de Inga Moore, sobre un gato que va ganándose el afecto de todo el mundo de la calle, consiguiendo una cena en cada una de las casas cada noche. Bob había repetido la misma hazaña. Se había convertido en Bob Seis Cenas.

En cierto sentido era una señal de lo cómodo y contento que se sentía, allí instalado. Pero también de que se estaba acostumbrando a vivir sin mí como centro de su mundo. Esa noche acostado en la cama, tratando de pensar en todo y nada excepto el dolor de mi pierna, empecé a preguntarme algo que no me había planteado en todo el tiempo que llevábamos juntos. ¿Estaría mejor sin mí?

Era una pregunta lógica. ¿Quién iba a querer estar con un tullido, exdrogadicto, sin dinero y sin perspectivas de trabajo?

¿Quién querría estar siempre en la calle bajo toda clase de condiciones atmosféricas siendo empujado y atropellado por los transeúntes? Especialmente cuando había almas más amistosas y menos complicadas alrededor, dispuestas a darte una cena gratis cada noche.

Siempre creí que podría proporcionarle una vida tan buena como todo el mundo, si no mejor. Éramos almas gemelas, dos piezas del mismo bloque, me decía. Por primera vez desde que estábamos juntos, ya no estaba tan seguro de eso.

CAPÍTULO 8

No hay peor ciego

Es increíble lo que el dolor puede hacer en la mente humana. Especialmente de noche, cuando estás acostado, incapaz de dormir, alucinando e imaginando todo tipo de cosas absurdas. En un momento dado, por ejemplo, comencé a fantasear con la idea de que me amputaban la pierna. Me imaginaba llevando una extremidad ortopédica en lugar de la palpitante e hinchada que ahora tenía —y lo más curioso es que me sentía reconfortado por la idea.

En otra ocasión, estaba atravesando el aparcamiento del supermercado local cuando divisé una silla de ruedas vacía. Un hombre estaba bajando una rampa hidráulica de la parte trasera de una pequeña furgoneta, por donde, supuse, iba a salir el dueño de la silla. La idea de poder ir a todas partes sin tener que apoyar peso en mi pie fue realmente tentadora. Durante una décima de segundo, barajé la posibilidad de robarla. Pero, en el momento en que la idea cruzó por mi mente, me sentí avergonzado.

Algunas noches, cuando yacía acostado en una especie de estado febril, me daba por pensar cada vez más en Bob, o más concretamente, en perder a Bob. Cuanto peor estaba mi pierna, más convencido me encontraba de que me iba a abandonar. Lo imaginaba en compañía del señor mayor de la puerta de al lado, siendo mimado y consentido. Le veía tumbado en el soleado tejadillo de casa de Belle, sin más preocupación en el mundo, mientras yo renqueaba para vender *The Big Issue* por mi cuenta.

No era algo tan descabellado. Yo cada vez pasaba más tiempo solo, acostado y sumido en una especie de duermevela en mi dormitorio en casa de Belle. Como consecuencia, tenía menos paciencia con Bob de lo habitual. Él se deslizaba a mi lado en la cama esperando que le lanzara algunas galletas para jugar, pero yo no le hacía caso. A veces trataba de enroscarse alrededor de mi pierna, lo que me resultaba insoportable. Mi pierna por entonces había adquirido un violento color rojo y el dolor era constante.

—Sal a jugar a otra parte, Bob —le decía haciendo gestos para que se apartara. Él se bajaba de la cama de mala gana y salía del dormitorio lanzándome una mirada desilusionada. No era de extrañar que estuviera buscando cariño en otra parte, me dije después.

«En este momento no soy un buen amigo para él».

Era consciente de que así no estaba ayudando a nadie, y menos aún a mí, pero no sabía cómo salir del agujero negro que me había estado consumiendo lentamente durante las últimas semanas. Una mañana, sin embargo, me desperté y decidí que ya había tenido bastante. Debía hacer algo al respecto. No me importaba lo que creyeran los médicos sobre mí y mi pasado: necesitaba respuestas, necesitaba poner fin al problema. Me vestí, cogí mi muleta y me dirigí al ambulatorio local, decidido a que me hicieran un examen en condiciones.

—Lleva una curiosa muleta, señor Bowen —me dijo el médico cuando entré en la consulta.

—La necesidad es la madre de los inventos —repliqué dejando el desgastado palo en un rincón y subiendo a la camilla, donde el médico empezó a echar un vistazo a mi muslo y pierna.

—Esto no tiene buena pinta. Debe intentar no hacer presión en esa pierna durante al menos una semana. ¿Puede librarse unos días del trabajo? —me preguntó.

—No, la verdad es que no. Soy vendedor de *The Big Issue* —le expliqué.

—Está bien, tendrá que pensar en algo para poder mantener el pie en alto todo el tiempo —declaró—. También quiero que se haga lo que llamamos un análisis de sangre del dímero-D para valorar la formación de coágulos en la sangre. Sospecho que ahí es donde reside su problema.

—Muy bien —asentí.

—Y ahora, ¿qué podemos hacer con esa muleta suya? Creo que puedo conseguirle algo mejor que una rama de árbol —declaró.

—¿No hay posibilidad de una silla de ruedas? —pregunté recordando de pronto la que había visto en el aparcamiento.

—Me temo que no. Pero puedo ofrecerle un par de muletas más decente, mientras tratamos de reducir la inflamación y abotagamiento de su pierna.

Al final de la mañana era el orgulloso propietario de un par de muletas metálicas en condiciones, con empuñaduras de goma, sujeción para brazos y conteras para amortiguar el apoyo. Casi enseguida empecé a desplazarme balanceando las piernas delante de mí. Era muy consciente de la imagen que debía dar. Me sentía un tanto estúpido, más incluso que cuando llevaba el palo bajo mi brazo. Podía percibir lo que la gente pensaba de mí. Era deprimente.

Sin embargo, el tiempo de compadecerme se había acabado. No quise dejar pasar un minuto más y, al día siguiente, fui directamente a hacerme el análisis de sangre. Pero la cosa no fue tan sencilla. Sacar una muestra de sangre de un exadicto a la heroína no es empresa fácil.

La enfermera de la clínica me pidió que me remangara, pero cuando intentó encontrar una vena le resultó imposible.

—Hmm, probemos con el otro brazo —sugirió. Pero dio igual.

Intercambiamos una mirada que lo decía todo. No hacía falta ponerle palabras.

—Tal vez debería hacerlo yo —propuse.

Me miró con expresión de agradecimiento y me tendió la aguja. Cuando encontré una vena en la pierna, dejé que extrajera la muestra. Las humillaciones por ser un exadicto en recuperación eran infinitas, pero no iba a dejar que eso me detuviera.

Un par de días más tarde, cuando telefoneé a la clínica, una doctora confirmó mis peores sospechas. Explicó que había desarrollado una trombosis venosa profunda, o TVP.

—Tiene un coágulo de sangre que me gustaría examinar con más detenimiento. Quiero que se pase por el University College Hospital para una prueba de ultrasonidos —me indicó.

En cierto sentido fue un alivio. Siempre había sospechado que los largos vuelos de ida y vuelta de Australia me habían causado el problema. Echando la vista atrás, comprendí que había suprimido esa idea por todo tipo de razones absurdas, en parte porque no quería parecer paranoico, pero también porque no quería que mis sospechas se confirmaran. Sabía que una TVP podía derivar en toda clase de complicaciones, especialmente coronarias y derrames cerebrales.

Teniendo todo esto en cuenta, durante la semana de espera hasta la prueba de ultrasonidos creí volverme loco. Bob y yo continuamos trabajando, pero me movía por inercia. Me aterrorizaba hacer algo que pudiera desencadenar un derrame o un ataque al corazón. Incluso dejé de jugar con él cuando nos sentábamos en los cubos juntos. Él me miraba de vez en cuando, esperando que sacara una galleta para poder empezar a actuar para los transeúntes. Pero la mayoría de las veces mi corazón no estaba en eso y lo rechazaba. Analizándolo en retrospectiva, creo que estaba demasiado absorto en mí mismo. Si le hubiera prestado atención, estoy seguro de que habría visto la decepción escrita en su cara.

Cuando llegó el día de la prueba, me dirigí al UCH en Euston Road y, una vez allí, tuve que atravesar una sala llena de madres embarazadas que esperaban para hacerse una ecografía. Yo parecía ser la única persona que no estaba excitada por estar ahí.

Fui atendido por un especialista que derramó toneladas de gel en mi pierna para así poder pasar la cámara sobre esta, al igual que se hacía en el vientre de las futuras madres. Resultó que tenía un enorme coágulo de sangre de unos quince centímetros de largo. El especialista me hizo sentar y me explicó que sospechaba que el coágulo había empezado siendo muy pequeño y luego había ido aumentando y extendiéndose a lo largo del borde de la vena.

—Probablemente el tiempo caluroso pudo desencadenarlo y luego usted lo exacerbó al caminar —indicó—. Le prescribiremos un anticoagulante que debería disolverlo.

Me sentí aliviado. Lamentablemente, aún no estaba fuera de peligro.

Se me había recetado un anticoagulante de los que se utilizan para diluir la sangre y evitar posibles coágulos. Pero no presté atención al prospecto que venía con él. No se me ocurrió que pudiera tener efectos secundarios.

Unas noches después de empezar a tomar las pastillas, me desperté hacia las cinco de la mañana para ir al baño. Afuera, la calle estaba sumida en la oscuridad, pero había suficiente luz en el apartamento para que pudiera encontrar el camino al baño y volver. Cuando estaba recorriendo el pasillo, noté algo húmedo deslizarse por mi muslo. Encendí la luz y me quedé horrorizado al descubrir que mi pierna estaba cubierta de sangre. Cuando regresé al dormitorio y encendí las luces, comprobé que las sábanas de la cama estaban todas ensangrentadas.

Bob estaba dormido como un tronco en un rincón, pero se despertó. Advirtió que sucedía algo malo y en un instante estuvo a mi lado.

No tenía ni idea de qué estaba pasando. Pero sabía que tenía que ir al hospital —y rápido—. Me puse unos vaqueros y una cazadora y salí a toda prisa del apartamento encaminándome hacia Tottenham High Road, donde supuse que podría coger un autobús.

Cuando llegué al UCH, me admitieron inmediatamente. Me explicaron que el anticoagulante había diluido mi sangre hasta tal punto que había empezado a sangrar por los poros de la debilitada piel donde solía pincharme.

Tuve que permanecer dos días ingresado mientras ajustaban mi medicación. Finalmente me cambiaron el fármaco por otro que no producía los mismos efectos. Eso en cuanto a las buenas noticias. Pero las malas eran que tendría que ponerme inyecciones en el estómago durante un período de, al menos, seis meses.

Pincharme a mí mismo era terrible, por muchas razones distintas. Para empezar era doloroso pincharse directamente en los músculos del estómago. Podía sentir el contenido de la jeringuilla penetrando en el tejido. En segundo lugar, era un recuerdo de mi pasado. Odiaba la perspectiva de tener una jeringuilla y una aguja formando parte de mi vida diaria una vez más.

Y, lo peor de todo, es que encima no funcionó.

Varias semanas después de que empezara a pincharme el nuevo fármaco, mi pierna seguía sin mejorar. No podía dar más de dos pasos seguidos, incluso con las muletas. Estaba empezando a desesperarme. Una vez más, comencé a imaginar que perdía la pierna. Volví al hospital y le expliqué la situación a uno de los médicos que me habían atendido con anterioridad.

—Más vale que le ingresemos una semana. Intentaré averiguar ahora mismo si hay posibilidad de conseguir alguna cama —declaró, descolgando el teléfono.

No es que me hiciera mucha gracia. Significaba que no podría trabajar, y ya había perdido dos días en el hospital. Pero sabía que no podía continuar en esa situación. Me dijeron que tendrían una cama libre al día siguiente. Así que volví a casa esa noche y le expliqué la situación a Belle. Ella accedió a cuidar de Bob, lo que fue un gran consuelo para mí. Sabía que estaba muy contento en su casa. A la mañana siguiente me levanté e hice una pequeña bolsa de viaje para llevar al hospital.

No era precisamente un paciente ejemplar. La clave está en la palabra *paciente*. Eso es algo en lo que nunca he destacado. Me distraigo fácilmente.

Durante los primeros días, apenas podía dormir, ni siquiera tomando las pastillas que me daban para dejarme frito. Inevitablemente, empecé a hacer un examen de mi vida mientras yacía preocupado por todo —mi pierna, mi larga convalecencia, mi puesto en Angel y, como siempre, la falta de dinero. También solía agobiarme por Bob.

La idea de que tendríamos que continuar nuestras vidas por separado se negaba a abandonar mi mente. Ya llevábamos juntos más de dos años y medio y él había sido el compañero más fiel imaginable. Pero todas las amistades atraviesan fases, y algunas llegan a su fin. Sabía que no había sido la mejor de las compañías durante las últimas semanas. ¿Debería preguntarle a Belle si quería quedarse con él? ¿O tal vez preguntar al simpático vecino de la puerta de al lado con el que, al parecer, Bob ya había establecido un vínculo? Por supuesto yo me quedaría desolado por perderlo. Era mi mejor amigo, mi apoyo. No tenía a nadie más en mi vida. En el fondo lo necesitaba para mantenerme por el buen camino y, algunas veces, también para conservar mi cordura. Pero, al mismo tiempo, tenía que tomar la decisión correcta. No sabía qué hacer. Pero entonces lo vi claro. No era mi decisión.

Tal y como reza el viejo dicho, los gatos te eligen a ti y no al revés. Eso fue lo que había sucedido entre Bob y yo unos años antes. Por la razón que fuera, él vio algo en mí que le hizo quedarse a mi lado. Siempre he creído en el karma, en la idea de que recibes en vida lo que has hecho en el mundo. Quizás había sido obsequiado con su compañía como recompensa por haber hecho algo bueno en una vida anterior. Aunque, desde luego, no podía recordar haber hecho algo tan bien. Ahora tendría que esperar a ver si me volvía a elegir. Si quería permanecer conmigo, debía ser su decisión. Solo suya.

Estaba seguro de que muy pronto sabría su respuesta.

Cuando los resultados de la última tanda de pruebas llegaron, me dijeron que la dosis de medicación que se me había prescrito no era lo suficientemente fuerte. Iban a tener que aumentarla, pero también querían mantenerme más tiempo allí para asegurarse de que funcionaba.

—Sólo serán un par de días más, lo necesario para comprobar que le va bien y no tiene efectos secundarios —me explicó el doctor.

Belle se pasó un rato a verme, y me trajo un par de libros y algunos cómics. Me dijo que Bob estaba estupendamente.

—Creo que ha encontrado a alguien más que le dé de comer aparte del señor mayor —comentó riendo—. Realmente está haciendo honor al nombre de Bob Seis Cenas.

Después de un par de días resultó evidente que la nueva dosis por fin estaba consiguiendo eliminar mi TVP. La hinchazón de mi pierna estaba empezando a desaparecer y el color volviendo a la normalidad. Las enfermeras y los médicos también pudieron notarlo, así que no perdieron el tiempo en levantarme de la cama.

—No es bueno que esté ahí tumbado todo el día, señor Bowen. —No dejaba de repetirme uno de ellos.

Así que insistieron en que me levantara y caminara a lo largo del pasillo al menos dos veces al día. De hecho, fue una alegría poder andar de nuevo sin doblarme de dolor. Cuando apoyaba el peso en la pierna, ya no sentía las mismas punzadas insoportables. Todavía dolía, pero no tenía nada que ver con lo que había sentido antes.

Fieles a su palabra, después de una semana de estar ingresado, los médicos me dijeron que podía irme a casa. Escribí un mensaje a Belle contándole las buenas noticias. Ella me contestó diciendo que intentaría pasar a verme a última hora de la tarde.

El papeleo del hospital me llevó más tiempo del que esperaba, así que la tarde estaba muy avanzada cuando me quité el pijama, me vestí y recogí mis pertenencias, encaminándome a la salida de Euston Road. Aún tenía las muletas, pero ya no las necesitaba. Ahora podía apoyar el pie sin sentir verdadero dolor.

Belle me había vuelto a mandar un mensaje diciéndome que me esperaría fuera.

—No puedo entrar en el hospital. Te lo explicaré cuando te vea —había escrito.

Habíamos quedado en encontrarnos en la nueva y horrible escultura moderna frente a la puerta principal. Había escuchado al personal del hospital hablar de ella, un gigantesco pedrusco pulido de seis toneladas de peso. Aparentemente, le había costado al hospital decenas de miles de libras y su propósito era conseguir que los visitantes y pacientes se sintieran mejor al contemplarla cuando llegaban y se marchaban. A mí, particularmente, no me inspiró nada, aunque me fue muy útil en cuanto mi cuerpo se topó con el frío aire de la tarde. Me apoyé un instante en ella, mientras trataba de recuperar el aliento por haber caminado por los pasillos lo que me parecieron kilómetros sin ayuda de las muletas.

Llegaba con un par de minutos de adelanto, por lo que no había señales de Belle. Eso no era ninguna sorpresa, teniendo en cuenta la hora que era. Pude advertir que el tráfico estaba empezando a complicarse y me resigné a esperar. Entonces, para mi alivio, la vi emerger de la parada del autobús al otro lado de la calle. Llevaba una bolsa de viaje que, supuse, contendría un poco de ropa limpia y mi chaquetón. Al principio no lo distinguí, pero a medida que se fue acercando, vislumbré un destello pelirrojo asomando por la cremallera sin cerrar en la parte superior de la bolsa. Cuando llegó al pie de la escalera, vi su cara asomando.

—¡Bob! —exclamé, excitado.

En el momento en que registró mi voz, empezó a revolverse en la bolsa. En un instante, tenía sus patas delanteras en el brazo de Belle y las traseras encima de la bolsa, listo para saltar.

Aún estábamos a unos metros de distancia cuando Bob se lanzó fuera de la bolsa hacia mí. Fue el salto más atlético que le había visto hacer nunca, y eso es decir mucho.

—Guauu, amigo —dije inclinándome hacia delante para atraparlo y achucharlo contra mi pecho. Él se pegó a mí como una lapa a una roca que estuviera siendo azotada por las olas. Luego hundió su cabeza en mi cuello y empezó a frotarse contra mis mejillas.

—Espero que no te importe, pero esta era la razón de que no pudiera entrar, tenía que traerlo —dijo Belle radiante—. Vio que guardaba algunas cosas para ti y se puso como loco. Creo que sabía que venía a buscarte.

Cualquier duda que tuviera sobre nuestro futuro, desapareció en ese instante. De camino a casa, Bob no se despegó de mí, literalmente. En lugar de sentarse a mi lado, lo hizo sobre mi regazo, gateando hasta mis hombros y poniendo sus patas en mi pecho mientras ronroneaba feliz.

Era como si no quisiera dejarme marchar nunca. Yo sentía exactamente lo mismo.

Dicen que no hay peor ciego que el que no quiere ver. En los días y semanas que siguieron, comprendí que había estado poco dispuesto, o más bien, que había sido incapaz de ver lo que era evidente. Lejos de querer dejarme, Bob había estado desesperado por intentar aliviar mi dolor y ponerme en el camino de la recuperación. Me había dado espacio para recuperarme, pero también había tratado de cuidarme sin que yo me diera cuenta.

Belle me contó que cada vez que estaba dormido en la habitación, Bob se acercaba a examinarme. Se tumbaba en mi pecho e incluso frotaba sus mejillas contra mí de vez en cuando.

—Te daba un pequeño golpecito en la frente y esperaba tu reacción. Creo que solo quería asegurarse de que todavía seguías con nosotros —sonrió.

También me contó que otras veces se enroscaba sobre mi pierna.

—Era como si tratara de aplicarte un torniquete o algo así. Como si quisiera quitarte el dolor —decía—. Nunca te quedabas quieto el tiempo suficiente como para que pudiera estar ahí mucho rato. Pero sabía dónde estaba el dolor y, definitivamente, trataba de hacer algo para quitártelo.

No había visto nada de eso. Y, lo que es peor, cada vez que Bob había intentado ayudarme o reconfortarme cuando estaba despierto, le había echado de mi lado. Había sido un egoísta. Bob me quería —y me necesitaba— tanto como yo le quería y le necesitaba a él. No podría olvidarlo.

Estar tumbado en la cama durante tantos días también me había servido para concentrar mi mente en otra cosa. Pocas semanas después de estar curado, di el paso más importante que había dado en años. Tal vez en toda mi vida.

Cuando por fin escuché las palabras, con ocasión de una cita ordinaria con mi consejero del centro de rehabilitación para drogodependientes de Camden, tardé un buen rato en asimilarlas.

—Creo que has llegado a la meta, James —me dijo.

—¿Cómo dice? ¿A qué se refiere?

—Voy a hacerte la última receta. Unos pocos días más tomando las pastillas y creo que estarás listo para considerarte limpio.

Llevaba varios años acudiendo a ese centro. Había llegado allí siendo un guiñapo, un adicto a la heroína que parecía ir en picado a la tumba. Gracias a un estupendo equipo de consejeros y enfermeras, había conseguido mantenerme al borde del abismo desde entonces.

Después de desintoxicarme primero de la heroína y luego de la metadona, mi nueva medicación, el subutex, había conseguido, de forma lenta pero definitiva, ayudarme a dejar los opiáceos completamente. Y ya hacía seis meses que lo estaba tomando.

Lo llaman la droga milagrosa y, por lo que a mí concernía al menos, eso es exactamente lo que era. Me había permitido dominar mi ansiedad por las drogas suavemente y sin altibajos. Había estado reduciendo la dosis de subutex regularmente, primero de ocho miligramos a seis, después a cuatro y luego a dos. A partir de ahí, empecé a tomar dosis más pequeñas, que apenas llegaban a 0,4 gramos. Había sido un proceso sin fisuras, mucho más fácil de lo que había anticipado.

Así que al salir esa mañana del centro no terminaba de entender por qué me sentía tan inquieto por el hecho de estar a punto de dejar de tomar subutex.

Tendría que haber estado encantado. Había llegado el momento de acometer ese suave aterrizaje de aeroplano del que me había hablado uno de los consejeros. Pero, curiosamente, me sentía nervioso, y esa sensación se mantuvo durante los siguientes dos días.

Esa primera noche, por ejemplo, empecé a sudar y a tener pequeñas palpitaciones. No era nada serio ni importante comparado con lo que había pasado al dejar la metadona. Aquello sí había sido un infierno. Ahora, sin embargo, era casi como si esperara que algo horrible me sucediera, como si aguardara algún tipo de reacción dramática. Pero nada sucedió. Simplemente me sentía, bueno, completamente bien.

Bob estaba muy sensibilizado con mi humor e intuyó que necesitaba un poco más de cariño que de costumbre. No hizo nada evidente; ni necesitó realizar uno de sus diagnósticos nocturnos o darme un golpecito en la cabeza para comprobar si aún respiraba. Simplemente se colocó unos centímetros más cerca de mí en el sofá y me dio unas cuantas caricias extra con la cabeza en mi cuello de cuando en cuando.

Durante los siguientes días continué mi vida con normalidad. Bob y yo estábamos de vuelta en mi apartamento de Tottenham, donde tratábamos de reanudar nuestra vida. Era un inmenso alivio ser capaz de caminar en condiciones y montar en bicicleta con Bob a bordo.

Al final del proceso me quedó una ligera sensación de anticlímax. Cinco o seis días después de haber tomado la última dosis, saqué el blíster de la caja y vi que sólo quedaba una pastilla.

Apreté la cavidad transparente para extraer la pastilla, la mantuve debajo de mi lengua hasta que se disolvió y luego bebí un vaso de agua. Hice una bola con el blíster y la tiré al suelo para que Bob jugara con ella.

—Aquí tienes, compañero. Esa es la última bola de esta clase con la que vas a jugar.

Esa noche me fui a la cama esperando pasar las de Caín. «No voy a poder dormir», pensé. Estaba seguro de que mi cuerpo empezaría a protestar por la retirada del medicamento con toda clase de punzadas. Esperaba pesadillas, visiones, un sinfín de vueltas a un lado y a otro. Pero no hubo nada de eso. No hubo nada. Quizá estaba tan agotado por la ansiedad que, en cuanto mi cabeza rozó la almohada, me quedé dormido.

Cuando desperté al día siguiente y recuperé la consciencia, me dije: «Vaya. Eso es todo. Estoy limpio». Miré por la ventana hacia el horizonte de Londres. Lamentablemente, no era un cielo demasiado azul. No era nada tan tópico. Pero ciertamente estaba bastante nítido. Y, al igual que cuando dejé la metadona, me pareció de alguna forma más brillante y colorido.

Sabía que los días, semanas, meses y años que me quedaban por delante no iban a ser fáciles. Habría veces en los que me sentiría estresado, deprimido e inseguro y, en esas ocasiones, sabía que una persistente tentación regresaría a mi mente y pensaría en tomar algo para amortiguar el dolor y aturdir los sentidos.

Esa había sido la razón por la que había caído en la heroína en primer lugar. Fue la soledad y la falta de esperanza lo que me había llevado directamente a sus brazos. Pero ahora estaba decidido a que eso no volviera a sucederme. La vida no era perfecta, ni mucho menos. Pero era un millón de veces mejor de lo que había sido cuando empecé mi adicción. Por aquel entonces no podía ver más allá del siguiente chute. Ahora sentía que podía distinguir un buen trecho delante de mí. Y sabía que podría caminar por él.

Desde aquel día, cada vez que me siento flaquear me digo a mí mismo: «Espera un momento, ya no estás viviendo a la intemperie, no estás solo, no hay desesperanza. No la necesitas».

Continué viendo al consejero durante un tiempo, pero pronto también dejé de necesitarlo. Un mes más o menos después de dejar de tomar la última pastilla de subutex, me dio el alta.

—Ya no es necesario seguir viéndote —dijo mientras me acompañaba a la puerta—. Mantente en contacto y buena suerte. Bien hecho.

Me alegra decir que no le he visto ni he sabido nada de él desde entonces.

CAPÍTULO 9

Bob y la gran marcha

M ientras caminábamos en dirección sur atravesando el Támesis por el Puente de Waterloo, las luces del Parlamento y de la Noria, conocida como London Eye, resplandecían brillantes en el cielo oscuro de finales de noviembre, con las aceras bullendo de gente. La mayoría iba en nuestra misma dirección, alejándose del West End y de la City hacia los trenes de cercanías de la estación de Waterloo. Algunos eran ejecutivos de mirada cansada que volvían a casa a esa hora tardía después del trabajo, y otros mostraban un humor más alegre tras haber pasado la tarde en el West End.

Eran cerca de las diez y media de la noche, el final de su jornada. Para mí y para Bob, por el contrario, era el principio de lo que prometía ser una larga, larga noche.

Los de *The Big Issue* me habían convencido para que tomara parte en un nuevo evento que estaban organizando. Había leído algo sobre el tema en la revista unos pocos meses antes. Se llamaba «la Gran Marcha Nocturna», y había sido planeada para coincidir con el decimoctavo aniversario de la revista.

Con esa idea, a alguna mente brillante se le ocurrió que sería una buena idea organizar una marcha de dieciocho millas (casi veintiocho kilómetros) a través de las calles de Londres en plena noche.

La idea era que la gente corriente pudiera caminar a través de la ciudad desierta entre las diez de la noche y las siete de la mañana junto a un grupo de vendedores de *The Big Issue*, y de ese modo aprender algo más sobre la realidad de vivir en condiciones difíciles y dormir en las calles. Los anuncios de la revista lo llamaban «una oportunidad fantástica para unirse a otras personas con ideas afines, sentido de aventura y deseos de ayudar a mejorar la situación de las personas vulnerables y sin techo por toda Gran Bretaña». Ni siquiera habíamos completado el paseo hasta la pancarta de salida del evento y ya había empezado a preguntarme si no era una aventura demasiado osada para Bob y para mí, habida cuenta de los problemas padecidos con mi pierna. Era una noche un tanto fría —y parecía estar refrescando por momentos.

Había decidido tomar parte por varias razones. Primero y principal, porque era una oportunidad de ganar algunas libras de más. Todo vendedor que participara en la marcha tenía derecho a recibir entre veinticinco y treinta ejemplares gratis de *The Big Issue*. Lo que significaba que podría ahorrar alrededor de sesenta libras potenciales. Pero, por encima de todo, comprendí que era una oportunidad para hablar con la gente sobre la revista y las vidas de las personas que la vendíamos.

A pesar de los altibajos que había tenido con la compañía, aún creía en su misión. Era, sin lugar a dudas, la salvación para muchas personas que vivían en las calles. Y, desde luego, en mi caso me había ayudado a orientar y dar un propósito —por no mencionar que me permitía ganar el suficiente dinero para defenderme contra la miseria— a mi vida.

Habíamos quedado en reunirnos en el cine IMAX, que está situado en la rotonda de Bullring, en la parte sur del Puente de Waterloo. Era una ubicación muy conveniente. Hasta hacía poco tiempo, la rotonda —bueno, más bien el laberinto de hormigón y pasajes subterráneos bajo esta— había sido un asentamiento de chabolas que los londinenses conocían como la Ciudad de Cartón. Durante los años ochenta y principios de los noventa, se convirtió en el hogar de más de doscientos «sin techo», como nos llaman los asistentes sociales. Gran parte de los que estaban en la calle eran yonquis ocasionales o alcohólicos, pero muchos se construyeron casas con palés de madera y cajas de cartón. Algunas incluso tenían un salón y dormitorios con colchones. Había sido un refugio, aunque no necesariamente uno seguro, a lo largo de casi quince años. Yo había vivido allí brevemente durante sus días finales, a finales de 1997 y principios de 1998, cuando todo el mundo fue desalojado para construir el cine IMAX.

Mis recuerdos del lugar eran inconexos, pero, según me fui acercando al IMAX, vi que los organizadores de la marcha habían montado una pequeña exposición de fotografía con la historia de la Ciudad de Cartón. Con Bob encaramado en mi hombro, examiné las imágenes en blanco y negro buscando rostros conocidos. Pero pronto resultó que estaba buscando en el lugar erróneo.

—Hola, James —dijo una voz femenina detrás de mí. La reconocí en el acto.

—Hola, Billie —contesté.

Allá por el año 2000, cuando mi vida había tocado fondo, Billie y yo nos hicimos amigos, ayudándonos mutuamente y haciéndonos compañía. No nos habíamos conocido hasta el desalojo de la Ciudad de Cartón, cuando tuvimos que apretarnos el uno contra el otro para luchar contra el frío en los gélidos refugios que los centros de beneficencia como Centrepoint y St Mungo's solían acondicionar durante los meses de invierno.

Resultó que Billie también había puesto su vida patas arriba. Una noche tuvo una epifanía cuando estaba durmiendo al raso en el centro de Londres y la despertó un vendedor de *The Big Issue*. Al principio se cabreó, ni siquiera sabía de qué revista se trataba. Pero le echó un vistazo y tuvo la idea. A partir de entonces reconstruyó su vida y, una década después, se había convertido en todo un modelo para la Fundación *The Big Issue*.

Estuvimos recordando los malos y viejos tiempos alrededor de una taza de té.

—¿Te acuerdas de las noches bajo el Arco del Almirantazgo durante ese terrible y nevado invierno? —preguntó.

—Sí, ¿en qué año fue? ¿1999, 2000 o 2001? —dudé.

—No puedo recordarlo. Esos días están un poco confusos, ¿no es cierto? —dijo encogiéndose de hombros con resignación.

—Así es. Sin embargo, aquí estamos, que es más de lo que se puede decir de algunos de los pobres tipos con los que coincidimos por entonces.

Solo Dios sabe cuántas personas de las que estaban en las calles con nosotros habían perecido por el frío, las drogas o la violencia.

Billie estaba muy comprometida con esta marcha.

—Le dará a la gente una idea de lo que hemos tenido que pasar —declaró—. No podrán marcharse a casa a dormir en una cama caliente, tendrán que quedarse aquí fuera con nosotros.

Yo no estaba tan seguro. Nadie, por muy buena intención que tuviera, podría comprender realmente lo que era vivir en las calles.

Billie, al igual que yo ahora, también tenía una mascota. La suya era una espabilada Collie de la frontera llamada Solo. Ella y Bob se habían medido entre sí durante algunos segundos, pero luego decidieron que no había nada de lo que preocuparse.

Justo antes de las diez y media de la noche, John Bird, el fundador de *The Big Issue*, hizo acto de presencia. Me lo había encontrado en un par de ocasiones, y siempre me había parecido un personaje carismático. Como de costumbre, su aparición fue de gran ayuda, y consiguió motivar a todo el mundo con un corto e inspirado discurso sobre lo que gracias a la revista se había conseguido tras estos dieciocho años. En ese momento, alrededor de cien personas o más se habían congregado allí junto con un par de docenas de vendedores, coordinadores y personal. Todos dispuestos a desfilar en la noche, listos para que John Bird iniciara la cuenta atrás.

—¡Tres, dos, uno! —gritó, y entonces nos pusimos en marcha.

—Allá vamos, Bob —dije, asegurándome de que adoptaba una posición cómoda en mis hombros.

Para mí suponía un auténtico viaje a lo desconocido. Por un lado, me preocupaba que la pierna no pudiera soportar los veintiocho kilómetros de desgaste y ajetreo, mientras que, por otro, estaba encantado de no necesitar las muletas y poder caminar con normalidad de nuevo. Era todo un alivio no tener que recorrer la calle escuchando el «clon, clon, clon», ni tener que balancear las piernas delante de mí a cada paso. Así que, mientras emprendíamos el primer tramo alrededor de South Bank y el Puente del Milenio, me dije a mí mismo que debía disfrutarlo.

Como de costumbre, Bob pronto empezó a atraer un montón de atención. Había una atmósfera realmente festiva y muchas de las personas encargadas de recabar fondos empezaron a sacarse fotos con él mientras caminábamos. No parecía estar de un humor muy amigable, lo que era comprensible. A esas horas ya solía estar dormido y podía sentir el frío que ascendía desde el Támesis. Pero había traído conmigo una generosa provisión de golosinas, así como un poco de agua y un cuenco para él. También me había asegurado de que tuviera un cuenco de leche en los puntos de avituallamiento. Lo haremos lo mejor que podamos, me dije.

Bob y yo nos metimos en un grupo en el centro de la procesión mientras avanzábamos a lo largo de la orilla del río. Había una mezcla de estudiantes y trabajadores de beneficencia, así como un par de mujeres de mediana edad. Eran obviamente gente bondadosa con ganas de ayudar de alguna manera. Una de las señoras empezó a hacerme las típicas preguntas: ¿de dónde eres?, ¿cómo has acabado en las calles?

Había contado la historia más de cien veces durante la última década. Cómo había llegado a Londres desde Australia cuando tenía dieciocho años. Que había nacido en Inglaterra pero, al separarse mis padres, mi madre me había llevado con ella cuando se trasladó a vivir a ese país. Todas las veces que nos habíamos mudado de un lado a otro durante los siguientes años y cómo me volví bastante problemático. Y también cómo había llegado a Londres con la esperanza de convertirme en músico, pero aquello no había funcionado; la época en que estuve viviendo con mi hermanastra, y mis desavenencias con su marido; y cómo empecé a dormir en los sofás de los amigos, hasta que finalmente me quedé sin sitios donde pasar la noche y acabé en las calles. A partir de ahí empezó mi cuesta abajo. Ya había probado las drogas con anterioridad, pero cuando me convertí en mendigo se volvió una forma de vida. Era el único modo de borrar de mi mente el hecho de estar solo y de que mi vida fuera un desastre. Anestesiaba el dolor.

Mientras hablábamos, pasamos por delante de un edificio cerca del puente de Waterloo dónde recordaba haber pasado la noche varias veces. «No dormía allí muy a menudo», le dije a la señora, señalando hacia el lugar. «Una noche en que yo estaba hecho polvo, a otro tipo le robaron y después le degollaron mientras dormía».

Ella me miró muy pálida.

—¿Y murió? —preguntó.

—No lo sé. Yo salí corriendo —confesé—. Para ser sincero, lo único por lo que te preocupas cuando estás así es por sobrevivir al día siguiente. Solo vives para ti. A eso es a lo que te reduce la vida en las calles.

La mujer se paró un momento para mirar la puerta del edificio, como si estuviera diciendo una breve y silenciosa oración.

Después de aproximadamente una hora y media, llegamos a la primera parada del recorrido: el restaurante flotante La Hispaniola en Embankment, la zona norte del Támesis.

Tomé un poco de sopa de la que había preparada mientras Bob bebía un poco de leche que alguien tuvo la amabilidad de servirle. Me sentía muy positivo sobre todo el evento, además de muy satisfecho por los kilómetros que había recorrido —y por los muchos que aún quedaban por delante.

Pero entonces, cuando nos bajábamos del barco, sufrimos un ligero contratiempo. Tal vez porque había recuperado fuerzas o quizá porque sabía que mi pierna aún no estaba al cien por cien, Bob se empeñó en bajar del barco a pie. Mientras caminaba por la pasarela, tirando de la correa, se topó directamente con otro vendedor de *The Big Issue* que estaba subiendo con su mascota, un Staffordshire. El perro fue directamente a por

Bob y tuve que ponerme delante moviendo manos y piernas para impedir que se abalanzara sobre él. Para ser justos hay que reconocer que el otro tipo le dio un fuerte tirón de correa a su perro e incluso un manotazo en el morro. Los bull terrier tienen fama de ser violentos, pero no creo que este lo fuera. Solo estaba siendo curioso, no malo. Lamentablemente, eso desquició bastante a Bob. Cuando emprendimos la marcha se enroscó sobre mi cuello con fuerza, en parte porque estaba nervioso pero, sobre todo, para protegerse del frío. Una bruma que te helaba los huesos se elevaba desde el Támesis.

Una parte de mí quería acabar con todo y llevar a Bob a casa. Pero hablé con un par de organizadores y me convencieron para continuar. Afortunadamente, a medida que nos fuimos alejando del río, las temperaturas subieron un poco. Continuamos avanzando a través del West End, dirigiéndonos al norte.

Entablé conversación con otra pareja, una guapa joven rubia y su novio francés. Parecían más interesados por la historia de cómo Bob y yo nos habíamos conocido. Eso me venía bien. Caminar de esa forma por Londres me traía muchos recuerdos, algunos demasiado oscuros e inquietantes para contarlos. Como adicto a la heroína viviendo en las calles, me había visto abocado a cometer actos espantosos para sobrevivir. Pero no estaba de humor para compartir esos detalles con nadie.

Durante los primeros nueve kilómetros o así, mi pierna se había encontrado bien. Estuve tan distraído por lo que sucedía alrededor que no pensé en ello. Pero a medida que la noche avanzaba, empecé a sentir un punzante dolor en el muslo, donde había tenido la TVP. Era inevitable, pero no dejaba de ser un incordio.

Durante la siguiente hora más o menos, decidí ignorarlo. Pero cada vez que parábamos para tomar una taza de té, notaba un acuciante e intenso dolor. En un primer momento me mantuve en el centro de la procesión, caminando al lado de los que recolectaban dinero. Pero, poco a poco, había ido dejándome caer, quedándome prácticamente en la retaguardia. Un par de personas encargadas de recaudar y un tipo de la oficina de *The Big Issue* cerraban la marcha y estuve caminando con ellos durante aproximadamente un kilómetro y medio. Sin embargo, tuve que hacer un par de paradas para dejar que Bob hiciera sus necesidades y fumarme un cigarrillo. De pronto me di cuenta de que me había quedado lejos del grupo.

La siguiente parada oficial era en Camden, en el pub Roundhouse, unos kilómetros más allá. No creía poder llegar tan lejos. Así que cuando pasamos por delante de una parada de autobús con servicio nocturno justo en nuestra dirección, tomé una decisión.

—¿Qué opinas, Bob, nos rendimos?

No dijo nada, pero podría jurar que estaba listo para volver a su cama. Cuando un autobús apareció ante nosotros y abrió sus puertas, se subió a bordo de un salto y fue directo a sentarse, con el pelo erizado de placer al sentir el calorcito.

El autobús estaba muy concurrido a pesar de ser más de las tres de la mañana. Sentados al fondo, Bob y yo íbamos rodeados por un grupo de jóvenes, aún muy animados por su noche de juerga en las discotecas del West End o donde quiera que hubiesen estado. También había un par de tipos de aspecto solitario que parecían ir camino a ninguna parte. Yo también había estado en su situación y hecho lo mismo. No solo una vez, sino un montón de ellas.

Pero eso pertenecía al pasado. Esa noche me sentía muy diferente. Esa noche estaba muy satisfecho conmigo mismo. Supongo que para mucha gente haber caminado casi veinte kilómetros no supone una gran proeza, pero haber llegado tan lejos tal y como había estado mi pierna pocas semanas antes, era, al menos para mí, el equivalente a correr la Maratón de Londres.

Además, había podido reencontrarme con algunos rostros familiares, en particular, con Billie. Había sido una alegría volver a verla nuevo y comprobar lo bien que le iba. En general, me sentía como si hubiera hecho algo positivo, como si hubiera devuelto algo. Me había pasado un montón de años tomando de la gente, sobre todo porque yo no tenía nada que dar. O al menos, no creía que tuviese nada que ofrecer. Esa noche me había demostrado que eso no era necesariamente cierto. Todo el mundo puede contribuir con algo, no importa lo pequeño que sea. Compartir mis experiencias esa noche, por ejemplo, me hizo sentir que había conectado con algunas personas y, tal vez, habría abierto sus ojos a la realidad de la vida en las calles. Eso no podía echarse en saco roto. Merecía la pena. Y lo mismo empecé a decirme respecto a mí.

CAPÍTULO 10

Historia de dos ciudades

Cuando descorrí las cortinas de mi dormitorio y miré más allá de los tejados de la zona norte de Londres, resultó evidente que el tiempo invernal que los meteorólogos habían anunciado había completado su viaje desde Siberia o desde donde quiera que fuera el territorio helado que lo había enviado en nuestra dirección.

Gruesas franjas de nubes color plomizo colgaban suspendidas del cielo y pude escuchar el viento azotando y silbando en el exterior. Si alguna vez hubo un día para quedarse en casa, abrigado y calentito, era ese. Lamentablemente, no era un lujo que pudiera permitirme.

Las cosas estaban especialmente tensas en ese momento. Tanto el contador del gas como el de la electricidad necesitaban un montón de monedas para poder funcionar,* así que el aparta-

---

* Se trata de un sistema individual en que cada piso tiene su propio contador que funciona con monedas. (N. de la T.).

mento estaba frío como una nevera. Bob había adoptado la costumbre de acurrucarse cerca de la cama por la noche, confiando en absorber algo del calor que yo generaba bajo la colcha. Por ahora, al menos, la conclusión era que tenía que seguir vendiendo *The Big Issue* y no podía permitirme coger días libres —incluso si el tiempo parecía tan desagradable como el de aquel día.

Así que cuando hube preparado mi mochila, la única incógnita era si Bob querría venir conmigo. Como siempre, tendría que ser su decisión. Y sabía que generalmente tomaba la decisión correcta.

Los gatos —como muchos otros animales— son muy sensibles a la hora de «leer» el tiempo y otros fenómenos naturales. Aparentemente están dotados para predecir terremotos y *tsunamis*, por ejemplo. La explicación más razonable que he escuchado al respecto es porque son sensibles a la presión del aire. Y, por tanto, también pueden detectar los cambios en la atmósfera que predicen la llegada del mal tiempo. Bob, desde luego, había demostrado gran aptitud para detectar si la lluvia estaba en el aire. Odiaba mojarse y a menudo se hacía un ovillo y se negaba a salir cuando el tiempo en el exterior parecía estar bien pero, en apenas una hora o dos, los cielos se abrían y me pillaban a mí solo en la calle.

Así que, cuando le mostré la correa y la bufanda y se acercó a mí como un día normal, supuse que sus instintos para predecir el tiempo estaban diciéndole que era seguro aventurarse fuera.

—¿Estás seguro, Bob? —pregunté—. No me importa salir yo solo.

Había escogido una de sus bufandas más gruesas y abrigadas. Se la envolví cuidadosamente alrededor del cuello y nos dirigimos hacia la deprimente oscuridad.

En el momento en que puse un pie en la calle sentí un viento cortante como un escalpelo. Pinchaba. Noté que el cuerpo de Bob se encogía más de lo usual alrededor de mi cuello.

La idea de tener que esperar al autobús durante media hora me aterrorizaba, pero afortunadamente a los pocos minutos apareció uno de nuestra línea y muy pronto estuvimos a bordo. Al sentir el calor en la parte baja de mis piernas proveniente de la rejilla de calefacción, mi ánimo mejoró un poco. Pero casi enseguida las cosas empezaron a empeorar.

No llevábamos ni diez minutos de trayecto cuanto advertí los primeros copos de nieve caer. Al principio eran pocos y espaciados, pero en apenas unos instantes, el aire se espesó con gruesos copos blancos que empezaron a cuajar sobre el pavimento y los techos de los coches aparcados.

—Esto no pinta bien —le dije a Bob, que parecía transfigurado por la transformación que se estaba produciendo en las calles.

Para cuando llegamos a Newington Green, a aproximadamente un kilómetro de Angel, el tráfico se había ido ralentizando hasta prácticamente detenerse. Me enfrentaba a una auténtica *Trampa 22* —si ya iba a ser muy complicado ganar algo de dinero, en estas condiciones sería todo un reto—. Sin embargo, andaba tan corto de dinero que ni siquiera estaba seguro de tener monedas suficientes para volver a casa y, mucho menos, para meter alguna libra en los contadores de gas y electricidad durante los próximos días.

—Vamos, Bob, si tenemos que ganar algo, más vale que hagamos a pie el último tramo —dije de mala gana.

Al bajar del autobús pudimos comprobar que todo el mundo caminaba a paso de tortuga y con cara de pocos amigos mientras avanzaba por lo que se había convertido en una peligrosa superficie. Para Bob, sin embargo, era un mundo nuevo y fascinante; un mundo que pronto estuvo ansioso por explorar. Me lo había colocado en el hombro como de costumbre, pero apenas dimos unos pasos cuando se levantó dispuesto a bajar a tierra.

No lo había pensado, pero en cuanto lo dejé en el suelo comprendí que era la primera vez que Bob pisaba la nieve, al menos conmigo. Observé cómo apoyaba sus patas en la fina capa de polvo blanco y luego se echaba para atrás para admirar la huella que había dejado en la superficie virgen. Por un momento imaginé lo que debía de ser ver el mundo a través de sus ojos. Tenía que resultar muy extraño ver que, de pronto, todo se había vuelto blanco.

—Vamos, colega, no podemos estar aquí todo el día —dije después de un minuto o dos.

Para entonces la nieve caía con tanta intensidad que era difícil ver nada delante de nosotros.

Bob aún seguía divirtiéndose, posando una pata tras otra en la cada vez más gruesa capa de nieve. Finalmente, alcanzó tal espesor que su vientre se llenó de pequeños cristales blancos.

—Vamos, compañero, deja que te devuelva a tu sitio —sugerí, cogiéndole y poniéndole de nuevo sobre mis hombros.

El problema ahora es que la nieve caía con tanta fuerza que empezaba a cuajar sobre nosotros. Cada pocos metros tenía que sacudir casi un par de centímetros de nieve fresca de mis hombros y hacer lo mismo con Bob.

Llevaba un destartalado paraguas viejo que saqué de la mochila. Pero, como pude comprobar, era prácticamente inútil ante las fuertes rachas de viento, así que renuncié a los pocos minutos.

—Esto no va bien, Bob. Tenemos que buscarte un abrigo en condiciones —declaré. Entré en un pequeño colmado, sacudiéndome los pies en el felpudo de la puerta.

Al principio la dueña, una mujer india, nos miró a los dos asombrada, lo que no era nada excepcional. Debíamos de tener una pinta rarísima. Pero su prevención inicial pronto se derritió.

—Son muy valientes saliendo con este tiempo —sonrió.

—Yo no diría valientes —contesté—. Creo que locos sería más exacto.

No tenía muy claro lo que buscaba. Al principio me planteé comprar un nuevo paraguas, pero eran demasiado caros. Solo me quedaban algunas monedas. Entonces tuve una idea y me dirigí a la zona de productos de limpieza. En un estante vi unos rollos de pequeñas y resistentes bolsas de basura.

—Esto podría servir, Bob —dije en voz baja.

—¿Cuánto cuesta una sola bolsa? —pregunté.

—No puedo venderlas sueltas. Tiene que ser el rollo entero. Son dos libras —señaló.

No quería gastarme tanto: realmente estaba sin blanca. Pero entonces advertí que tenía pequeñas bolsas de plástico negro en el mostrador para que los clientes se llevaran sus compras.

—¿Hay alguna posibilidad de que pueda llevarme una de esas? —pregunté.

—Está bien —accedió, mirándome un tanto apurada—. Son cinco peniques.

—Muy bien. Me llevaré una. ¿Tiene unas tijeras?

—¿Tijeras?

—Sí, quiero hacer un agujero en ella.

Esta vez me miró como si realmente estuviera fuera de mis cabales. Sin embargo, y probablemente actuando en contra de su instinto, se agachó detrás del mostrador y sacó unas pequeñas tijeras de costura.

—Perfecto —declaré.

Alisé la parte del fondo de la bolsa y corté un pequeño semicírculo de aproximadamente el tamaño de la cabeza de Bob. Luego abrí bien la bolsa y deslicé su cabeza por él. El improvisado poncho le quedaba como un guante y cubría perfectamente su cuerpo y sus patas.

—Oh, ya entiendo —dijo la dueña riendo—. Muy astuto. Eso debería funcionar.

Nos llevó alrededor de quince minutos llegar hasta Angel. Una o dos personas nos lanzaron miradas divertidas mientras caminábamos, pero para ser sinceros, la mayoría estaba más preocupada por llegar sana y salva de un sitio a otro bajo esa tormenta de nieve.

Sabía que resultaría imposible aguantar a las puertas del metro en nuestro puesto de siempre. El suelo estaba cubierto por una gruesa capa de nieve. Así que Bob y yo nos colocamos en el pasaje subterráneo más cercano, donde la mayoría de los transeúntes se estaban refugiando.

No quería mantener a Bob demasiado tiempo en el frío, así que puse más empeño que de costumbre en vender la revista. Afortunadamente, hubo mucha gente que pareció compadecerse de nosotros y se rascó los bolsillos. Mi pila de revistas pronto empezó a disminuir.

A última hora de la tarde calculé que había acumulado el suficiente dinero para ir tirando durante un día o dos. Pero lo importante era que tenía bastante para mantener el gas y electricidad funcionando a toda marcha hasta que, con un poco de suerte, el tiempo mejorara.

—Ahora lo único que tenemos que hacer es volver a casa —le dije a Bob cuando, una vez más, nos enfrentamos a los gélidos vientos de camino a la parada del autobús.

«Tiene que haber un modo más sencillo que este de ganarse la vida», me dije a mí mismo una vez instalado cálidamente en el autobús.

Hacer dinero resultaba muy duro, especialmente porque el abismo entre aquellos que tienen y aquellos que no tienen era cada vez más grande. Trabajar en las calles de Londres me hacía sentir como si reviviera *Historia de dos ciudades*, tal y como yo mismo pude constatar unos días más tarde.

Estaba situado a las puertas de la boca del metro de Angel a la hora de comer, con Bob encaramado en mis hombros, cuando advertí un pequeño alboroto al otro lado de los torniquetes por los que los pasajeros emergían de los trenes de más abajo. Un grupo de personas mantenía una animada conversación con los supervisores. Cuando terminaron, se les dejó pasar, aparentemente sin pagar, y vi que se encaminaban en nuestra dirección.

Reconocí inmediatamente la alta y ligeramente desgarbada figura rubia en el centro del grupo. Era el alcalde de Londres, Boris Johnson. Iba acompañado por un chico joven, su hijo, supuse, y un pequeño grupo de asistentes elegantemente vestidos. Se dirigían directamente hacia mi salida.

No tuve tiempo para pensar que hacer, así que reaccioné instintivamente cuando se acercaron.

—¿Qué me dice de adquirir un ejemplar, Boris? —sugerí, ondeando la revista en el aire.

—Me temo que llevo un poco de prisa —declaró, un tanto aturdido—, pero aguarde un momento.

A su favor debo decir que empezó a rebuscar en sus bolsillos y sacó un montón de monedas que se apresuró a depositar en mis manos.

—Aquí tiene. Más valiosas que las libras inglesas —declaró.

No entendí a qué se refería, pero aun así me sentí muy agradecido.

—Muchas gracias por apoyarnos a Bob y a mí —repliqué, tendiéndole un ejemplar.

Mientras lo tomaba, sonrió y ladeó ligeramente su cabeza mirando a Bob.

—Tiene un bonito gato —observó.

—Oh sí, es toda una estrella, tiene incluso su propio carné de metro para poder viajar —expliqué.

—Increíble, de verdad —añadió, antes de dirigirse en dirección a Islington Green con su séquito.

—Buena suerte, Boris —le deseé cuando desapareció de mi vista.

No quise ser grosero y comprobar en su presencia cuánto me había dado, pero, a juzgar por el peso y el número de monedas, parecía más que el precio de venta de la revista.

—Ha sido muy generoso por su parte, ¿no crees, Bob? —dije, haciendo resonar los céntimos que inmediatamente guardé en el bolsillo de mi chaqueta.

Sin embargo, cuando examiné el pequeño montón de monedas, mi corazón dio un brinco. Todas llevaban la acuñación *Confoederatio Helvetica*.

—Oh, no, Bob —protesté—. ¡Me ha dado unos malditos francos suizos!

Fue entonces cuando até cabos.

—A eso se refería cuando dijo que eran *más valiosos que las libras inglesas* —murmuré para mis adentros.

Excepto que, por supuesto, no eran más valiosos.

Obviamente no se le había ocurrido que, mientras los billetes extranjeros pueden ser canjeados en la mayoría de bancos y oficinas de cambio, las monedas no. Estas eran definitivamente inútiles. Al menos para mí.

Una de mis amigas de la estación del metro, Davika, pasó a vernos un poco más tarde.

—Te he visto con Boris, James —sonrió—. ¿Ha sido generoso?

—Pues la verdad es que no —le contesté—. Me ha dado un montón de francos suizos.

Sacudió la cabeza.

—Así son los ricos —declaró—. Viven en un planeta distinto al resto de nosotros.

No pude más que darle la razón. No era la primera vez que me sucedía algo parecido.

Unos años antes, había estado tocando la guitarra en Covent Garden. Eran casi las siete y media de la tarde, hora de subir el telón en la mayoría de los teatros y óperas de la zona, y un montón de gente surgía apresuradamente de la estación del metro. Como era de esperar, muy pocos tenían tiempo para pararse a oírme tocar con Bob a mis pies; sin embargo, un tipo de aspecto acalorado que llevaba un lazo de pajarita me prestó atención.

Me vio desde lejos e inmediatamente empezó a rebuscar en su bolsillo. Era un tipo grandullón con una buena mata de pelo gris. Hubiera jurado que me sonaba de la televisión, pero no supe ubicarlo. Cuando lo vi hurgar en el bolsillo de su pantalón y sacar un billete arrugado, me dije que estaba de suerte. Era rojo y parecía tener gran valor, posiblemente cincuenta libras. Ese era el único billete que sabía que era rojo.

—Aquí tienes, hombre —declaró, dejándolo en mi mano mientras se detenía un momento.

—¡Gracias! Muchas gracias —contesté.

—Que tengas una buena tarde —declaró riendo mientras se marchaba rápidamente corriendo hacia la Piazza.

No entendí por qué se reía. Supuse que estaría de buen humor.

Esperé algunos minutos hasta que la muchedumbre se redujo y entonces saqué el billete arrugado de mi bolsillo.

No me llevó mucho tiempo comprender que no era un billete de cincuenta libras. Tal y como creía, era rojo, pero tenía un dibujo de un tipo con barba que nunca había visto antes, y el número cien impreso. La caligrafía era algún tipo de idioma de Europa del Este. La única palabra que me resultaba familiar era *Srbije*. Pero no sabía lo que era ni lo que valía. Por lo que a mí respecta podrían haber sido más de cincuenta libras. Así que recogí mis cosas y me dirigí a la oficina de cambio al otro lado de la Piazza, pues sabía que abrían hasta tarde para los turistas.

—Hola, ¿podría decirme lo que vale este billete, por favor? —le pedí a la chica que estaba tras la ventanilla.

Lo miró y luego me contempló con expresión perpleja.

—No lo reconozco, espere un momento, deje que lo consulte con alguien más —declaró.

Se dirigió a la parte trasera de la oficina, donde pude ver a un tipo mayor sentado.

Después de un breve intercambio regresó.

—Aparentemente es serbio, es un billete de cien dinares serbios —explicó.

—Vale —repuse—. ¿Y puedo cambiarlo?

—Veamos lo que vale —dijo tecleando en el ordenador y luego en la calculadora—. Hmm —masculló—. Eso equivale a unos setenta peniques, por lo que no podemos cambiarlo.

Me sentí muy decepcionado. Había confiado secretamente en que fuera suficiente dinero para que Bob y yo pudiéramos pasar el fin de semana. ¡Pero ni por asomo! Había momentos en que me sentía realmente deprimido por los aprietos en que me veía inmerso. Había cumplido treinta años. A mi edad, la mayoría de los tíos tienen un trabajo, un coche, una casa, un plan de pensiones y, tal vez incluso, una esposa e hijos. Yo no tenía nada de eso. Una parte de mí no deseaba ninguna de esas cosas, para qué vamos a engañarnos. Pero sí ansiaba tener la seguridad que algunas de esas cosas aportaban. Estaba harto de vivir del cuento en las calles. Y también estaba harto de ser humillado por aquellos que no tenían ninguna compasión —o siquiera simpatía— por la vida que me había tocado llevar. Había veces en las que me sentía al límite. Unos días después del incidente con el alcalde, sentí que lo había alcanzado.

Bob y yo habíamos terminado pronto y nos dirigíamos al metro para coger la línea Norte hasta Euston y luego cambiar a la línea Victoria y bajarnos en la estación Victoria. Mientras caminaba por los túneles, Bob iba delante de mí tirando de la correa. Sabía a dónde nos dirigíamos.

Íbamos a ver a mi padre, algo que había comenzado a hacer con regularidad en los últimos meses. La relación entre ambos había sido muy tensa en el pasado. Cuando mis padres se separaron, mi madre obtuvo la custodia y me llevó a vivir con ella a la otra parte del mundo, Australia, así que él apenas supo nada de mí durante mi infancia. Para cuando llegué a Londres siendo un adolescente, yo era un desastre. Al cabo de un año de mi llegada, había desaparecido de la faz de la tierra, empezando a dormir en las calles. Cuando resurgí, él trató de ayudarme a volver al buen camino, pero, para ser sincero, yo estaba más allá de la salvación.

Empezamos a acercarnos de nuevo cuando inicié mi desintoxicación, y habíamos adquirido la costumbre de quedar a tomar algo en una taberna de la estación Victoria. El personal era muy amable y me dejaban entrar con Bob siempre que lo mantuviera oculto de los demás clientes. Aprendí a dejarlo debajo de la mesa, donde se dormía feliz. Era un lugar barato y agradable y normalmente acabábamos picando también algo de comer. Siempre por cuenta de mi padre, claro. Bueno, yo nunca iba a tener suficiente dinero para invitarle, ¿no es cierto?

Como de costumbre, él ya estaba esperándome.

—¿Qué noticias traes?

—No muchas —contesté—. Cada vez estoy más harto de vender *The Big Issue*. Es demasiado peligroso. Y Londres está lleno de gente a la que no le importas una m✱✱✱✱✱.

Entonces le conté lo sucedido con Boris Johnson. Él me miró con comprensión, pero su respuesta fue muy predecible.

—Necesitas limpiarte del todo y necesitas conseguir un trabajo como Dios manda, Jamie —declaró (era la única persona que me llamaba así).

Tuve que contener las ganas de poner los ojos en blanco.

—Eso es muy fácil decirlo, papá —repuse.

Mi padre siempre ha sido muy trabajador. Un obrero hasta la médula. Pasó de graduarse para ser anticuario a tener un servicio de reparación de lavadoras y electrodomésticos y luego un negocio de *scooters* y vehículos de alquiler. Siempre había sido su propio jefe, por lo que no creo que pudiera entender por qué yo no había sido capaz de hacer lo mismo. En su honor debo decir que nunca se había cruzado de brazos por mí. Había intentado ayudar. En un momento dado, cuando quise entrar en el mundo de la producción musical, intentó echarme una mano para que hiciera un cursillo, pero aquello no funcionó. La intención era buena, pero tampoco estaba en condiciones de apoyarla demasiado. Tras romper con mi madre había vuelto a casarse y tenía dos hijos de los que cuidar, mis hermanastros Caroline y Anthony. Su vida se había complicado.

Nunca me había planteado trabajar para él, y él nunca me lo había propuesto. No sin razón, creía que los negocios y la familia no eran compatibles. Además, muy en el fondo, sabía que yo no era de fiar —ni lo suficientemente presentable— para interactuar con el público.

—¿Y qué me dices de especializarte en informática o algo así? Hay montones de cursos disponibles —declaró.

Eso era cierto, pero yo no tenía la cualificación adecuada para acceder a la mayoría de esos cursos. Y eso era en parte por mi culpa.

Unos años antes había tenido un mentor, un tipo estupendo llamado Nick Ransom que trabajaba para un centro de beneficencia llamado Mosaico Familiar. Había sido un buen amigo. Solía venir a mi casa o yo iba a su oficina en Dalston donde me ayudaba en todo, desde pagar las facturas a solicitar empleos. Trató de apuntarme a gran variedad de cursos, desde montaje de bicicletas a informática. Pero la lucha por apartarme de mi adicción consumía todas mis fuerzas y nunca me puse en serio con ello. Tocar en las calles siempre había sido la opción más fácil para mí y, cuando Nick se dedicó a otras ocupaciones, supe que había dejado escapar la oportunidad entre mis dedos. No era la primera oportunidad que perdía, ni tampoco sería la última.

Mi padre prometió que empezaría a preguntar por su entorno para ver si salía algo.

—Pero las cosas ahora mismo están muy complicadas en todas partes —aseguró, sosteniendo un ejemplar del periódico de la tarde—. Cada vez que leo el periódico todo es un desastre. Más y más empleos yéndose al garete.

Lo cierto es que yo no estaba tan desconectado de la realidad. Sabía que había millones de personas en mi misma situación, y que cada una de ellas tenía mejores cualificaciones. Estaba en un puesto tan bajo en la jerarquía del mercado laboral que sentía que ni siquiera merecía la pena solicitar un empleo.

Mi padre no era hombre de demostrar sus emociones conmigo. Sabía que se sentía frustrado por la forma en que llevaba mi vida. Pero, en el fondo, también sabía que él creía que no lo estaba intentando. Entendía que se sintiera así, pero lo cierto es que lo estaba intentando. Solo que a mi manera.

Para aligerar un poco la atmósfera, nos pusimos a hablar de su familia. Yo no tenía demasiada relación con Caroline y Anthony; nos habíamos visto muy pocas veces. Me preguntó qué pensaba hacer por Navidad —ya había pasado un par de fiestas con él y no había sido precisamente divertido para ninguno de los dos.

—Creo que las pasaré con Bob —contesté—. Nos gusta estar juntos.

Mi padre no terminaba de entender mi relación con Bob. Esa noche le había hecho un par de caricias como de costumbre, vigilándolo cuando tuve que ir al aseo. Incluso llamó a la camarera para que le trajera un platito de leche y le dio un par de galletas. Pero no era un enamorado de los gatos. Y en una o dos ocasiones en que le hablé de lo mucho que Bob me había ayudado a salir del abismo, me había mirado desconcertado. Supongo que no podía culparle por ello.

Como de costumbre, mi padre me preguntó por mi salud, lo que suponía era su manera de averiguar si aún seguía limpio.

—Estoy bien —le respondí—. Hace unos días vi como un tipo moría fulminado de una sobredosis en el rellano de mi escalera. Eso me asustó bastante.

Me miró horrorizado. No tenía ningún conocimiento de las drogas ni de la forma en que funcionaban y, como muchos hombres de su generación, le daba un poco de miedo conocer esa realidad. Por esa razón, no creo que nunca llegara a entender lo mala que había sido mi situación cuando estuve en el momento más bajo con la heroína.

Nos habíamos visto durante ese período pero, igual que todos los adictos, yo había aprendido a mantener oculta esa parte de mi vida cuando era necesario. Quedé con él un par de veces cuando estaba enganchado, pero simplemente le dije que tenía un brote de gripe, suponiendo que no distinguiría la diferencia. Sin embargo no era estúpido y, probablemente, debió de notar que algo no iba bien, aunque no fuera capaz de deducir de qué se trataba exactamente. No tenía ningún conocimiento de lo que era estar enganchado a las drogas. Y, en cierto sentido, le envidiaba por ello.

Pasamos alrededor de una hora y media juntos, pero después tuvo que coger un tren de vuelta al sur de Londres. Me dio unos cuantos billetes para ir tirando y quedamos en volver a vernos en pocas semanas.

—Cuídate mucho, Jamie —me pidió.

Aún había mucho movimiento en la estación. Era el final de la hora punta. Me quedaban algunos ejemplares sin vender en mi mochila y decidí intentar colocarlos antes de volver a casa. Encontré un lugar vacío a las puertas de la estación y, muy pronto, empecé a obtener resultados.

Bob tenía el estómago lleno y estaba en plena forma. La gente se paraba, armando gran alboroto. Estaba barajando la posibilidad de gastar parte del dinero ganado en comida para llevar con algo de curry, cuando los problemas volvieron a asomar la cabeza.

Supe que los dos tipos iban a ser un problema en cuanto posé mis ojos en ellos y los vi cruzar desde el otro lado de la carretera en dirección a la entrada principal de la estación. Reconocí a uno de ellos de mis días de vendedor de *The Big Issue* en Covent Garden. Era un tipo fuerte de pelo gris y cuarenta y tantos años, que llevaba el distintivo peto rojo, pero sabía que no era un vendedor legal. Le había sido retirada su acreditación hacía mucho tiempo por distintas fechorías. Su compañero no me resultaba familiar, pero no necesitaba conocerlo para saber que era de armas tomar. Un fornido bravucón con la complexión de un saco de patatas.

Supe inmediatamente lo que estaban haciendo.

El más bajito ondeaba una única copia de *The Big Issue*, parando a la gente y recaudando dinero sin llegar a entregarles nunca la revista. Estaban poniendo en marcha una estafa conocida como «Único Reclamo», en la que los vendedores utilizan una sola revista anticuada para generar una cadena de ventas. Cada vez que alguien les daba algún dinero, el vendedor soltaba una historia lacrimosa sobre que aquel era su último ejemplar y que se encontraba en un callejón sin salida. Era básicamente mendigar. No había otra palabra para definirlo.

Nunca dejaba de sorprenderme que nadie se diera cuenta. Pero supongo que existen muchas almas crédulas —o quizá generosas— por el mundo.

Me preocupé al ver que venían en nuestra dirección. Sin duda pronto se colocarían frente a la salida de la estación del metro, con el más bajito de los dos acercándose a los viajeros que había al pie de las escaleras. Era evidente que no se trataba de un vendedor oficial. El peto estaba hecho jirones y parecía como si lo hubieran rescatado de la basura. Además le faltaba la acreditación oficial en la parte izquierda del chaleco que legitimaba a los vendedores a llevarlo.

Mientras su compañero se metía en faena, el más grande se acercó zigzagueando hasta mí. De cerca, era tan agresivo como parecía de lejos.

—Oye, tú, piérdete o acabo ahora mismo con ese gato tuyo —ordenó pegando su cara enrojecida contra la mía. Noté cierto deje irlandés en su acento y su aliento apestaba a alcohol.

Bob, como siempre, había olfateado el peligro y le estaba bufando. Me agaché y lo coloqué sobre mis hombros antes de que se produjera algún problema.

No pensaba dejarme intimidar ni marcharme de allí.

—Tengo derecho a vender aquí y solo me quedan estos pocos ejemplares —expliqué—. Sabes perfectamente que lo que hacéis no es legal. No eres más que una sanguijuela, le estás obligando a mendigar por ti.

No le gustó oírlo y me volvió a advertir.

—Tienes dos minutos para recoger tus cosas y largarte —amenazó, momentáneamente distraído por su compañero que, por alguna razón, estaba haciéndole señas. Entonces se dio la vuelta abriéndose paso entre la multitud.

La gente entraba y salía de la estación en masa, por lo que durante algunos minutos les perdí de vista. Conocía el percal. Ambos eran drogadictos y habían ideado esta estafa de la que sacarían provecho hasta que tuvieran suficiente dinero para

largarse y poder colocarse. Deseé que la señal de su compañero significara que habían conseguido su objetivo e iban a desaparecer. Pero no tuve esa suerte.

En apenas unos instantes, el grandullón reapareció, con
aspecto aún más enfadado que antes. Echaba literalmente espu-
ma por la boca, escupiendo toda clase de palabrotas.

—¿No has oído lo que te he dicho? —espetó.

Lo siguiente que supe es que me había pegado. Simplemente se acercó a mí y me soltó un puñetazo en la nariz. Sucedió tan rápido que ni siquiera le vi echar el brazo hacia atrás.
Se limitó a soltarme un puño gigante sobre la cara. No tuve la
menor oportunidad de esquivar el golpe.

—¿Qué demonios? —dije retrocediendo, con Bob aga-
rrado para proteger su preciada vida.

Cuando me aparté la mano de la cara pude ver que estaba
cubierta de sangre. Mi nariz chorreaba y notaba como si tuviera algún hueso roto.

Decidí que no era una pelea que pudiera ganar. No había
rastro de la policía, así que debería enfrentarme solo contra
esta desagradable pareja de maleantes.

Trabajar en las calles era arriesgado, y yo lo sabía. Pero había
ocasiones en las que se hacía especialmente peligroso. Había escuchado historias de vendedores de *The Big Issue* que habían sido
asesinados. Incluso hubo un caso en Norwich en el que dos o tres
tipos acorralaron a un vendedor y lo patearon hasta matarlo. Sinceramente no quería ser un número más en las estadísticas.

—Vámonos, Bob, salgamos de aquí —dije, recogiendo mis
cosas y alejándome.

Sentía una mezcla de rabia y frustración. Estaba deseando
que algo cambiara mi suerte. No creía que pudiera aguantar
mucho más en estas condiciones. Pero, por mucho que quisie-

ra, no podía imaginar cómo demonios iba a conseguir liberarme. De pronto toda esa charla con mi padre sobre empleos y especialización me pareció ridícula, un sueño imposible. ¿Quién iba a pagar a un exdrogadicto un salario decente? ¿Quién querría contratar a alguien con un currículum vítae tan estéril como el desierto australiano donde pasé parte de mi infancia? Ese día, sintiéndome tan hundido como estaba, la respuesta parecía tan clara y sangrante como mi nariz: nadie.

CAPÍTULO 11

Dos tíos guays

Un día de septiembre de 2010, a la hora de comer, llegué al metro de Angel y vi que Davika me estaba esperando. Trabajaba de taquillera y había sido una de mis amigas más leales desde que Bob y yo empezamos a trabajar en Islington. Solía traerle a Bob una golosina o algo para beber, especialmente en los días calurosos. Hoy simplemente se limitó a transmitirme un mensaje.

—Hola, James, ha venido alguien preguntando por ti y por Bob —declaró—. Era un reportero de uno de los periódicos locales. Me ha pedido que le llame si te apetece hablar con él.

—¿En serio? —me sorprendí—. Supongo que no me importa. Dile que puede venir a vernos durante nuestro horario habitual de venta.

No era la primera vez que alguien se fijaba en nosotros. Ya existían un par de grabaciones en Internet sobre Bob y yo, que habían sido vistas por unos pocos miles de personas, y una pareja de blogueros de Londres había escrito cosas muy bonitas sobre nosotros; pero nadie de la prensa había mostrado demasiado interés. Para ser sincero, me lo tomé con ciertas reservas. Había tenido toda clase de extraños y maravillosos contactos durante todos esos años, si bien un noventa y nueve por ciento de ellos se quedaron en nada.

Un par de días más tarde, sin embargo, al llegar a Angel me encontré a este tipo delante de la estación de metro, esperándonos.

—Hola, James, me llamó Peter —se presentó—. Me preguntaba si podría hacerte una entrevista para el *Islington Tribune*.

—Claro, por qué no.

Empezó por sacar una foto de Bob encaramado en mi hombro con el rótulo de la estación de Angel a nuestra espalda. Me sentí un tanto cohibido. No iba precisamente bien vestido para la ocasión y llevaba una espesa barba propia de principios del invierno, pero él pareció quedar muy contento con el resultado.

Después estuvimos hablando un rato sobre mi pasado y cómo nos habíamos encontrado. No era la inquisición española, pero claramente aquello le dio suficiente munición para su artículo que, según me dijo, aparecería en la siguiente edición del *Tribune*. Una vez más tampoco me lo tomé demasiado en serio. Siempre había actuado según el principio de «lo creeré cuando lo vea». Así era más sencillo.

Fue unos días más tarde, el jueves por la mañana, cuando Rita y Lee, los coordinadores de *The Big Issue* para la zona de Islington Green, me llamaron.

—Oye, James, Bob y tú salís en el periódico de hoy —me anunció, ella sacando un ejemplar de *Tribune*.

—¿Ah sí? —me sorprendí.

Efectivamente había un artículo de media página escrito por Peter Gruner. El titular rezaba:

DOS TÍOS GUAYS...
EL VENDEDOR DE *THE BIG ISSUE*
Y UN GATO CALLEJERO LLAMADO BOB

La historia comenzaba así:

> Desde el legendario Dick Whittington no se había vuelto a ver
> que un hombre y su gato se convirtieran en unas auténticas e
> insólitas celebridades de las calles de Islington. El vendedor de
> *The Big Issue* James Bowen y su dócil gato pelirrojo Bob, que
> van a todas partes juntos, han estado atrayendo comentarios
> desde que aparecieron por primera vez frente a las puertas del
> metro de Angel. La historia de cómo se conocieron —amplia-
> mente documentada en varios blogs en Internet— es de tan
> extraordinario dramatismo que solo es cuestión de tiempo que
> la veamos reflejada en alguna película de Hollywood.

Tuve que reírme en voz alta ante algunas de las licencias
periodísticas. ¿Dick Whittington? ¿Una película de Holly-
wood? Lo que no me hizo tanta gracia fue ver mi aspecto en
la foto, con esa barba tan tupida. Sin embargo debía admitir
que era un artículo encantador.

Me acerqué al quiosco de periódicos y compré varios ejemplares para llevarme a casa. Bob me vio repasar de nuevo el
artículo cuando volvíamos en el autobús esa tarde e hizo un gesto como de sorpresa. No sucedía muy a menudo, pero durante una décima de segundo, le vi poner una expresión desconcertada. Era como si estuviera diciendo: «No, no puede ser. ¿Es
cierto? ¿De verdad?».

Sin embargo, un montón de gente supo que éramos nosotros. Y la publicidad pronto empezó a dar dividendos, aunque

fuera en pequeñas cantidades. Había accedido a hacer la entrevista principalmente porque creía que sería bueno para la venta de mis ejemplares. Pensaba que elevando mi perfil podría animar a más clientes a detenerse y hablar conmigo ante la estación de metro de Angel. Y así fue. En los días que siguieron, cada vez más gente empezó a saludarnos no solo en Angel, sino también en el autobús o por la calle.

Una mañana, cuando llevaba a Bob a hacer sus necesidades a Islington Green, un grupo de escolares apareció delante de nosotros. No debían de tener más de nueve o diez años y vestían elegantes uniformes azules.

—¡Mirad, es Bob! —exclamó uno de ellos mientras nos señalaba muy excitado.

Estaba claro que el resto de la clase no tenía ni idea de lo que estaba hablando.

—¿Quién es Bob? —preguntó una voz.

—Ese gato de ahí subido a los hombros del hombre. Es famoso. Mi madre dice que se parece a Garfield —aseguró el chico.

Me conmovió ser reconocido por niños pequeños pero no estaba seguro de que me hiciera feliz la comparación con el gato más famoso de las viñetas. Garfield es famoso por su gordura, su obsesión por comer, su pereza y por ser bastante odioso. Además detesta cualquier clase de ejercicio o trabajo duro. Bob siempre ha estado en plena forma, come moderadamente y tiene la actitud más despreocupada y amistosa que la de ningún gato con el que me haya cruzado nunca. Y nadie podría decir de él que fuera poco inclinado a trabajar.

Hubo muchos encuentros parecidos durante los días siguientes a la publicación del artículo, y el más significativo llegó de alguien con quien solo había hablado una vez.

Una tarde se me acercó una mujer americana que aseguraba ser agente literaria. Su nombre era Mary. Me dijo que vivía por la zona y que nos había visto a Bob y a mí frente a la estación del metro muchas veces.

Me preguntó si no había pensado en escribir un libro sobre mi vida con Bob. Le dije que pensaría en ello, pero, para ser sinceros, no me lo había tomado demasiado en serio. ¿Cómo podría? Era un exadicto en recuperación que luchaba por sobrevivir vendiendo *The Big Issue*. No escribía un diario. Ni siquiera escribía textos en mi móvil. Sí, me gustaba leer y devoraba cualquier libro que cayera en mis manos. Pero, hasta donde podía ver, escribir un libro era algo tan poco realista como construir yo mismo un cohete espacial o presentarme al Parlamento. En otras palabras, una idea completa y totalmente irrealizable.

Afortunadamente, ella continuó insistiendo y volvimos a hablar. Había imaginado mis dudas y sugirió que me reuniera con un escritor con experiencia en ayudar a la gente a contar sus historias. Me dijo que por el momento el hombre estaba ocupado, pero que quedaría libre hacia finales de año y se acercaría a visitarme. Después del artículo del *Islington Tribune*, volvió a contactar conmigo para confirmar si me parecía bien reunirme con el escritor.

Si él pensaba que había un posible libro en Bob y en mí, pasaría algún tiempo conmigo, intentando conocerme para que le contara mi historia y, luego, me ayudaría a darle forma y escribirla. Después ella intentaría venderla a un editor. Una vez más, parecía demasiado increíble para expresarlo con palabras.

Durante un tiempo no volví a saber nada, pero entonces, hacia finales de noviembre, recibí la llamada del escritor. Su nombre era Garry.

Accedí a quedar con él y me llevó a tomar un café en el Centro de Diseño del otro lado de la calle, justo enfrente de mi puesto. Bob venía con nosotros, por lo que tuvimos que sentarnos fuera, en el cortante frío. Bob sabía juzgar a las personas mejor que yo, así que en un momento dado me fui al aseo y les dejé solos durante un par de minutos. Parecieron encajar perfectamente, lo que interpreté como un buen augurio.

Saltaba a la vista que intentaba decidir si mi historia era adecuada para un libro, mostrando una actitud tan abierta como no creí posible.

En lo que a mí concernía, no me apetecía demasiado tener que bucear en la parte oscura de mi vida. Pero mientras hablábamos, dijo algo que me impactó. Según él Bob y yo éramos, los dos, almas rotas. Nos habíamos encontrado cuando ambos estábamos tocando fondo, ayudándonos a enmendar la vida del otro.

—Esa es la historia que debería contar —me dijo.

Nunca había pensado en ello en esos términos. Instintivamente, sabía que Bob había sido una fuerza enormemente positiva en mi vida. Incluso me había visto en un vídeo de YouTube diciendo que él había salvado mi vida. Supongo que, hasta cierto punto, era cierto. Pero aun así no podía imaginar que esa historia pudiera interesar a nadie.

Incluso cuando volví a quedar con Garry para otra charla, esta vez más larga, todo aquello seguía pareciéndome un sueño irrealizable. Había muchos «síes, peros y quizás». Si Garry y Mary querían trabajar conmigo, quizás un editor estaría interesado en publicar un libro: realmente me costaba mucho imaginar que ocurrieran esas tres cosas. Los obstáculos parecían enormes. Cuando las fiestas de Navidad y el final del año aparecieron a la vista, me dije a mí mismo que había más posibilidades de •

que Papá Noel fuera real. Bob y yo habíamos aprendido a disfrutar de las Navidades juntos. El primer año que nos conocimos, las pasamos solos en el apartamento, compartiendo un par de comidas para llevar y viendo la televisión. Dado que había pasado muchas de las Navidades de la última década totalmente solo, en un hostal o enganchado a la heroína, me pareció la fiesta más feliz que hubiera celebrado nunca.

Me perdí las del segundo año por estar viajando a Australia, pero, desde entonces, habíamos estado siempre juntos.

En los días previos a la Navidad, recibimos, como de costumbre, un montón de regalos, desde bufandas para Bob a tarjetas regalo para ambos de establecimientos como Sainsbury's, Marks and Spencer o H&M. No había duda sobre cuál era el favorito de Bob: un calendario de Adviento con sus golosinas preferidas. Se enamoró de él nada más verlo, como era natural, y pronto aprendió a hacer grandes fiestas a primera hora de la mañana cuando llegaba el momento de extraer la golosina correspondiente de la cuenta atrás para Navidad.

También recibimos un fantástico disfraz de Zarpa Noel. Belle me había hecho uno por nuestras primeras Navidades juntos, pero no sé cómo se había perdido. Este nuevo tenía una abrigada chaqueta roja y un llamativo gorro a juego para que Bob lo llevara durante las fiestas. Los transeúntes de Angel se quedaban hipnotizados al verle.

Cuando llegó el día de Navidad, Bob pasó más tiempo jugando con el papel de envolver que con su regalo. Daba vueltas por la moqueta, dándole mordisquitos. Dejé que se entretuviera y pasé el resto de la tarde viendo la televisión o jugando con la consola. Belle se pasó por casa y se quedó unas horas. Sentí que eran unas auténticas Navidades en familia.

Fue un par de semanas después de Año Nuevo cuando recibí una llamada de teléfono de Mary contándome que unos de los editores más importantes de Londres, Hodder y Stoughton, querían conocerme —y también a Bob.

Unos días después, fui a sus oficinas, situadas en una gran torre cerca de Tottenham Court Road. Al principio, el personal de seguridad no quería dejar entrar a Bob en el edificio. Se quedaron perplejos cuando les dijimos que iba a formar parte de un libro. Podía entender su asombro. Entre los autores de Hodders, se incluía gente como John Grisham y Gordon Ramsay. ¿Qué demonios estaban pensando para publicar un libro sobre un tío de aspecto desaliñado y su gato pelirrojo?

Sin embargo, alguien del departamento de edición bajó al vestíbulo para solucionarlo y, después de eso, hicieron todo lo posible para que Bob y yo nos sintiéramos bienvenidos. De hecho, Bob fue tratado como un visitante real. Le entregaron un pequeño paquete de regalo con algunas golosinas y juguetes con valeriana y dejaron que se paseara por las oficinas para explorarlas. Donde quiera que fuese, era recibido como una auténtica celebridad. La gente se apartaba de sus teléfonos para hacerle carantoñas. Sabía que tenía madera de estrella, pero no imaginaba que fuera hasta ese punto.

Yo, por mi parte, tuve que sentarme en una sala de reuniones donde una larga fila de personas apareció para hablarme de sus diferentes especialidades, desde *marketing* y publicidad a producción y ventas. Mantuvimos toda clase de conversaciones de negocios sobre las fechas de publicación y el calendario de producción. Por mí podrían haber hablado en serbocroata o mandarín. Pero, en resumen, lo que dijeron es que habían visto parte del material con el que Garry y yo habíamos estado trabajando y querían publicar un libro basado en él. Incluso tenían pensado un título: *Un gato callejero llamado Bob.*[*] Tennessee Williams debía de estar revolviéndose en su tumba, pero a mí me pareció muy acertado.

Poco después me pidieron que visitara la agencia literaria ubicada en Chelsea donde Mary trabajaba. Una vez más, se trataba de un lugar enorme y ligeramente intimidante. Estaban más acostumbrados a recibir a ganadores del Nobel o del Booker,[**] por lo que recibimos algunas miradas extrañadas cuando la gente se enteró de que un vendedor de *The Big Issue* y su gato habían entrado en aquella enrarecida atmósfera. Mientras Bob exploraba las oficinas, Mary me explicó el contrato que me ofrecían los editores. Me dijo que era un buen trato, especialmente al no ser yo un autor conocido. Confié ciegamente en ella y firmé todo el papeleo.

Durante el curso de los últimos diez años, me había acostumbrado a firmar las prescripciones para mis fármacos y los formularios de puesta en libertad de la policía. Me sentí muy raro al garabatear mi nombre, pero también debo confesar que estaba muy, muy excitado.

Había momentos en que me despertaba por las mañanas pensando que todo era fruto de mi imaginación. Aquello no podía estar pasando de verdad. No a mí.

---

[*] Es un juego de palabras por la fonética similar de *A streetcar named desire (Un tranvía llamado deseo)* y *A street cat named Bob. (N. de la T.).*
[**] Premio anual para escritores de ficción en lengua inglesa. *(N. de la T.).*

Como no quería que Garry viniese a trabajar a mi apartamento, empecé a reunirme con él una o dos veces por semana en Islington. El arreglo tenía sus ventajas y sus inconvenientes. El lado positivo significaba que podía ganar dinero y pasar un par de horas trabajando después. Pero también implicaba que llevaba a Bob conmigo y, por tanto, supuso todo un desafío encontrar algún lugar donde poder sentarnos y charlar, especialmente cuando hacía mal tiempo. Los cafés locales no admitían gatos y no había ninguna biblioteca cercana. Así que tuvimos que encontrar otras alternativas.

Irónicamente, los primeros en invitarnos a su local sacándonos del frío fueron los de Waterstones, la librería de Islington Green. Allí me conocían. Solía pasarme por la tienda con Bob para hojear la sección de ciencia ficción. El gerente, Alan, estaba de servicio y le preguntamos si sería posible que trabajáramos en el piso de arriba en algún rincón tranquilo. No solo accedió a ello, sino que hizo que uno de los dependientes nos montara dos sillas en la sección de historia. Incluso nos trajo un par de cafés.

Cuando hacía sol, utilizábamos un local en Essex Road que tenía mesas fuera. Además así podía fumar, lo que era una ventaja para mí.

Garry y yo estábamos decididos a que el libro no tratara solamente de mi vida con Bob. Queríamos ofrecer a la gente una visión de lo que suponía la vida en las calles. Quería que todo el mundo se diera cuenta de lo fácil que es para la gente como yo caer en el abismo, y convertirse en una persona olvidada e ignorada por la sociedad. Por supuesto, para conseguirlo, también tenía que contar mi bagaje personal.

No estaba precisamente entusiasmado por tener que llegar a esa parte del ejercicio. Hablar de mí mismo no era algo que me saliera con facilidad, especialmente cuando se trataba de temas tan oscuros. Y había mucha oscuridad en mi pasado. Un montón de aspectos de mi vida como drogadicto estaban enterrados en los rincones más remotos de mi mente. Había tomado decisiones de las que estaba profundamente avergonzado o había cometido actos que no quería compartir con nadie, y menos aún plasmarlos en un libro. Pero, para mi sorpresa, una vez que comenzamos a hablar, resultó menos doloroso de lo que me temía. No podía permitirme acudir a un psicólogo o a un psicoanalista, pero hubo momentos en los que hablar con Garry me hizo tanto bien como desahogarme con un loquero. Me obligó a enfrentarme a algunas verdades dolorosas y fue extrañamente catártico, ayudándome a conocerme un poco mejor.

Sabía que no era una persona fácil de tratar. Tenía una vena desafiante y autodestructiva que, constantemente, me metía en problemas. Y era evidente que mi infancia me había afectado mucho. El divorcio de mis padres y mis peripatéticos años, trasladándome desde Inglaterra a Australia, no habían sido, precisamente, fuerzas estabilizadoras. De niño, intenté encajar y ser popular a toda costa, pero aquello nunca funcionaba. A pesar de mi empeño, al final acabé convirtiéndome en un inadaptado y un marginado.

Cuando alcancé la adolescencia, empecé a mostrar un comportamiento problemático. Me cabreaba y rebelaba por todo, y me peleé con mi madre y mi padrastro. Durante un periodo de alrededor de dos años, entre la edad de los once y los trece, estuve entrando y saliendo constantemente del hospital infantil Princess Margaret, en las afueras de Perth. En algún momento, me diagnosticaron un comportamiento bipolar o maníaco depresivo. No puedo recordar cuál era exactamente. Parecían encontrar un nuevo diagnóstico cada semana. En cualquier caso, el

resultado fue que me prescribieron varios tratamientos, incluyendo litio.

Los recuerdos de aquella época están un tanto embarulla-
dos.

Un recuerdo vívido que me venía a la mente era tener
que acudir semanalmente al hospital para hacerme un análisis
de sangre. Las paredes de la sala estaban llenas de carteles de
estrellas del pop y del *rock*, así que me sacaban la sangre mientras yo miraba la foto de Gladys Knight y los Pips.

Y cada una de las veces, el doctor me repetía que la jeringuilla con la que iban a pincharme no dolería. «Solo sentirás
un pequeño arañazo», decía, pero siempre era mucho más. Supongo que resulta un tanto irónico, pero durante años, tuve bastante
fobia a las agujas. Eso demuestra lo terriblemente enganchado
a la droga que había estado, hasta el punto de olvidarme de ello
y pincharme a mí mismo a diario tranquilamente.

En la parte positiva, recuerdo como, después de dejar el
hospital, había querido hacer algo a cambio y empecé a donar
cajas de cómics. Conseguí adquirir un poco de experiencia trabajando en una tienda de cómics cercana y persuadí al jefe para
que me dejara coger las cajas de ejemplares no vendidos y lle-
várselos a los niños del hospital. Pasé muchas horas jugando al
hockey de mesa y viendo videojuegos en la sala de recreo que
tenían en el pabellón infantil, por lo que sabía que todos apre-
ciarían tener algo decente para leer.

Pero en general, los recuerdos de esa época estaban bastante
confusos. Y me obligaban a abrir los ojos a aspectos de mi juven-
tud que no me había atrevido a analizar nunca.

En un momento dado, por ejemplo, estábamos trabajando
en la librería, el día después de que yo hubiera visto una película del documentalista Louis Theroux sobre cómo los padres

en Norteamérica están utilizando cada vez más medicación psi-coactiva para tratar los desórdenes como el déficit de atención, la hiperactividad, el Asperger o la bipolaridad de sus hijos, cuan-do, de pronto, se me ocurrió que eso era exactamente lo que me había sucedido.

Fue todo un *shock* comprender que haber sido tratado así tuviera un impacto tan enorme en mí cuando era joven. Eso me hizo preguntarme qué había surgido primero. Era la eterna pre-gunta del huevo o la gallina: ¿me habían dado todas esas drogas porque me comportaba de forma extraña? ¿O empecé a actuar así debido a que todas las visitas a los médicos me convencie-ron de que había algo malo en mí? Y, lo más aterrador de todo, ¿qué efecto había tenido toda esa medicación en mí y en la formación de mi joven personalidad? Como cualquier adoles-cente me consideraba un chico despreocupado, pero desde ese momento empecé a ser lo que se conoce como «problemáti-co». Luchaba para encajar en la sociedad y sufría depresión y cambios constantes de humor. ¿Habría alguna conexión? No tenía ni idea.

Lo que sí sabía, sin embargo, era que no podía culpar a los médicos, a mi madre ni a nadie por cómo había evolucionado mi vida desde entonces. Desde luego, ellos habían jugado su papel, pero la pelota estaba en mi campo. Nadie me dijo que desarrollara un problema de drogas. Nadie me forzó a vivir en las calles de Londres. Nadie me obligó a probar la heroína. Esos eran errores que había cometido por propia voluntad. No había necesitado la ayuda de nadie para jorobar mi vida. Yo mismo me había bastado solito para hacer un *buen* trabajo.

Aunque no fuera más que por eso, el libro era una opor-tunidad para que aquello me quedara claro.

Por un instante mi padre se quedó sin palabras. La expresión de su cara era una mezcla de incredulidad, felicidad, orgullo —y una leve aprensión.

—Eso es mucho dinero, Jamie —dijo tras unos instantes, dejando a un lado el cheque color manila que acababa de tenderle—. Debes tener cuidado con él.

Hasta ese momento no había asimilado la realidad de lo sucedido. Mi padre no era el único sorprendido, también yo mismo. Había tenido reuniones con los editores, firmado contratos y aparecido en artículos en los periódicos. Pero no fue hasta que recibí ese cheque como adelanto cuando finalmente fui consciente.

Cuando lo encontré en el buzón unos días antes, había abierto el sobre y me había tenido que sentar mirándolo fijamente. Los únicos cheques que había visto en la última década eran los del Departamento de Salud y Seguridad Social. Eran por pequeñas cantidades, cincuenta libras aquí y cien libras allá, nunca nada con más de dos ceros.

Comparado con otra gente, especialmente en Londres, tampoco era una suma de dinero tan grande. Para muchos de los transeúntes con los que me cruzaba cada día de camino al centro de Londres, supongo que ni siquiera llegaba al sueldo de un mes. Pero para alguien a quien sesenta libras le parecían una buena ganancia del día, era una conmovedora cantidad de dinero.

Sin embargo, la llegada del cheque trajo consigo dos problemas inmediatos. Me aterraba la idea de malgastarlo, pero, lo que era aún más preocupante, no tenía una cuenta bancaria en la que poder ingresarlo. Tuve una algunos años atrás, aunque no supe administrarla. Por eso me había acostumbrado a vivir con dinero en efectivo y, durante los últimos años, había llevado todos mis cheques a una oficina de cobro. Y esa era la razón por la que me había desplazado hasta la casa de mi padre en el sur de Londres.

—Confiaba en que pudieras cuidar de él por mí —le había comentado al llamarle por teléfono—. Así podré pedirte dinero cuando lo necesite.

Él accedió y tuve que endosar el cheque a su nombre. (No es que fuera un gran cambio porque compartíamos las mismas iniciales de nombre y apellido).

En lugar de encontrarnos en nuestro punto habitual en Victoria, me invitó a su zona. Fuimos a tomar un par de copas a su bar habitual y conversamos durante varias horas.

—Y dime, ¿va a ser un libro en condiciones? —me preguntó, el escepticismo que había mostrado cuando se lo dije resurgiendo una vez más.

—¿A qué te refieres?

—Pues a si va a ser un libro de fotos o uno infantil. ¿De qué va a tratar exactamente? —inquirió.

Supongo que era una pregunta lógica.

Le expliqué que era la historia de cómo había conocido a Bob, y cómo nos habíamos ayudado el uno al otro. Me miró un tanto perplejo.

—¿Y estaremos tu madre y yo en él? —preguntó.

—Tal vez salgáis mencionados —repuse.

—Entonces más vale que hable con mis abogados —bromeó.

—No te preocupes. La única persona que no sale bien parada soy yo.

Eso le hizo cambiar de tono ligeramente.

—¿Y va a ser una ocupación a largo plazo? —continuó—. Me refiero a lo de dedicarte a escribir libros.

—No —contesté, sincero—. No voy a convertirme en el próximo J. K. Rowling, papá. Cada año se publican cientos de libros. Solo una pequeña minoría llegan a ser *bestsellers*. En realidad no creo que un cuento sobre un cantante vagabundo exdrogadicto y su gato callejero pelirrojo vaya a ser uno de ellos. De modo que sí, va a ser una ocupación a corto plazo. Es una agradable e inesperada fuente de ingresos, y nada más.

—Pues más razón entonces para tener cuidado con el dinero —declaró, aprovechando la oportunidad para darme algunos consejos paternales.

Tenía razón, por supuesto. Ese dinero me evitaría preocupaciones durante algunos meses, pero no más. Tenía deudas

que pagar y mi apartamento necesitaba urgentemente un lavado de cara. Sabía que debía ser realista y que eso significaba conservar mi trabajo como vendedor de *The Big Issue*. Hablamos de ello durante un rato, y luego se enfrascó en una disertación sobre los relativos beneficios de distintas inversiones y planes de ahorro. Llegados a ese punto, hice lo que tan a menudo solía hacer cuando mis padres me hablaban: desconectar completamente.

CAPÍTULO 12

La alegría de Bob

Estar con Bob ha sido toda una lección de educación. No había tenido demasiados mentores en mi vida y había rechazado a las pocas personas bienintencionadas que trataron de guiarme o aconsejarme. Siempre me creía más listo que ellos, o eso imaginaba.

Supongo que es raro admitirlo, pero con Bob ha sido diferente. Él me ha enseñado tanto, si no más, que cualquier ser humano con el que me haya cruzado. Desde que cuento con su compañía, he aprendido importantes lecciones sobre un montón de cosas, desde responsabilidad y amistad hasta altruismo. Incluso me ha dado algunas pistas sobre un tema que me parecía incomprensible —la paternidad.

Dudaba que fuera a tener hijos algún día. No veía muy claro si estaba cualificado para esa tarea, aunque, a decir verdad, la oportunidad nunca se me había presentado. He tenido un par de novias durante estos años, incluyendo a Belle, con quien aún sigo muy unido y por la que siento gran admiración, pero crear una familia nunca ha formado parte de mi horizonte. Como

Belle sintetizó perfectamente una vez, he estado demasiado ocupado comportándome, la mayor parte del tiempo, como un niño.

Sin embargo, cuidar de Bob me ha dado una noción de lo que debe significar ser padre. Y más en concreto, me ha hecho entender que la paternidad es una cuestión de ansiedad. Tanto si se trata de preocuparme por su salud, estar pendiente de él cuando salimos a la calle, o simplemente asegurarme de que no pasa frío y está bien alimentado, la vida con Bob a menudo da la sensación de ser una fuente constante de preocupaciones.

Eso encaja con algo que mi padre me dijo una vez después de no recibir noticias mías durante más de un año. Yo estaba en el peor momento de mi adicción y tanto él como mi madre vivían fuera de sí por la preocupación.

—No tienes ni idea de lo mucho que un padre se preocupa por sus hijos —me había gritado furioso, acusándome de egoísta por no haberme puesto en contacto con ellos.

Por aquel entonces aquello no significó mucho para mí. Pero desde que estoy con Bob he empezado a comprender el infierno que debieron de pasar mis padres por mi culpa. Ojalá pudiera hacer retroceder el tiempo y ahorrarles toda esa angustia.

Esa era la parte negativa. La positiva era que, además de la ansiedad y las preocupaciones, la «paternidad» trae consigo un montón de risas. Esa es otra de las cosas que Bob me ha enseñado. Durante mucho tiempo me costó encontrar la parte alegre de la vida. Él me ha enseñado de nuevo cómo ser feliz. Incluso los momentos más fugaces y absurdos que compartimos son capaces de arrancarme una sonrisa.

Por ejemplo, un sábado a la hora de comer llamaron a la puerta y cuando fui a abrir me encontré con el vecino del apartamento del otro lado del pasillo.

—Hola, solo quería avisarle de que su gato está ahí fuera.

—Lo siento, eh, pero no creo. Debe de ser el gato de otro. El mío está dentro —dije, dándome la vuelta y echando un vistazo a la habitación.

—Bob, ¿dónde estás?

No había señales de él.

—No, estoy casi seguro de que es el tuyo. ¿Es pelirrojo, no? —preguntó.

Me asomé al pasillo para descubrir a Bob sentado a la vuelta de la esquina, perfectamente acomodado sobre un armario del descansillo y con la cabeza pegada a la ventana, mirando hacia la calle.

—Lleva allí un buen rato. Me he dado cuenta antes —comentó el tipo dirigiéndose al ascensor.

—Oh, gracias —dije.

Bob me estaba mirando como si fuera el mayor de los aguafiestas. La expresión de su cara parecía decir: «Vamos, sube aquí y mira qué vistas, es realmente interesante».

—Bob, ¿cómo demonios has llegado ahí? —protesté, estirando los brazos para cogerle.

Belle había venido a visitarme y estaba en la cocina preparando un sándwich.

—¿Has dejado salir tú a Bob? —pregunté, al entrar en el apartamento.

—No —respondió, levantando la vista de su tarea.

—No consigo entender cómo ha podido escaparse al pasillo y esconderse en lo alto del armario.

—Ah, espera un minuto —interrumpió Belle, una luz encendiéndose en su cabeza—. Hace una hora salí un momento a la calle para sacar la basura. Tú estabas en el baño. Cerré la puerta detrás de mí, pero debió de deslizarse por ella sin que me diera cuenta y luego esconderse en alguna parte cuando regresé. Es tan listo. A veces me gustaría saber lo que pasa por su cabeza.

No pude evitar soltar una carcajada. Era un tema sobre el que había reflexionado mucho durante los últimos años. A menudo me veía imaginando los procesos mentales de Bob. Sabía que era un ejercicio inútil y que lo único que hacía era proyectar el comportamiento humano en un animal. Creo que lo llaman antropomorfismo. Pero no podía resistirme.

Sin embargo, no era difícil deducir por qué hoy se había sentido tan contento en su nuevo punto estratégico del pasillo.

No había nada que le gustara más que ver la vida pasar. Dentro del apartamento, solía apostarse regularmente en el alféizar de la ventana de la cocina. Se pasaba el día allí, tan contento, vigilando todos los movimientos que ocurrían más abajo, como una especie de guardia de seguridad.

Su cabeza seguía a la gente que caminaba y pasaba cerca de nuestro bloque. Si alguien giraba hacia la entrada del edificio, estiraba el cuello hasta que lo perdía de vista. Puede que suene absurdo, pero para mí era increíblemente entretenido. Se lo tomaba tan en serio que era casi como si tuviera una lista de las personas con acceso permitido a la zona a determinadas horas y en determinadas direcciones. Veía a alguien acercarse y ponía un gesto como diciendo: «De acuerdo, está bien, sé quién eres» o «vamos, vas a llegar tarde a coger el autobús al trabajo». En otras ocasiones se le veía muy agitado, como si estuviera pensando: «¡Oye, tú, un momento! No te reconozco» o «Eh, tú, no tienes permiso, ¿adónde crees que vas? Vuelve aquí».

Casi sin darme cuenta podía pasarme media hora simplemente mirándole observar a los otros. Belle y yo solíamos bromear con que estaba de patrulla.

La escapada de Bob de hoy al pasillo se correspondía con algo que también le encantaba hacer: jugar al escondite. Lo había encontrado escondido en toda clase de rincones y recovecos sorprendentes. Pero, sobre todo, le gustaba cualquier sitio en el que hiciera calor.

Una noche, quise darme un baño antes de meterme en la cama. Mientras dejaba la puerta del cuarto de baño abierta, no pude evitar notar algo raro. En lugar de abrirse fácilmente, había que empujar con más fuerza. Me pareció más pesada de lo normal.

No pensé más en ello y abrí el grifo para llenar la bañera. Estaba mirándome en el espejo del lavabo cuando advertí que algo se movía detrás de la puerta entre las toallas que tenía en un toallero. Era Bob.

—¿Cómo demonios te has subido ahí? —pregunté, conteniendo la risa.

Concluí que debía de haber saltado a una balda que estaba cerca de la puerta y desde allí, de alguna forma, había logrado trepar hasta las toallas, acomodándose encima de ellas. Parecía un sitio bastante incómodo, además de precario, pero se le veía muy contento.

El cuarto de baño era uno de sus lugares favoritos para esconderse. Otro de sus pasatiempos consistía en ocultarse dentro del tendedero que solía extender para secar mi ropa en la bañera, especialmente durante el invierno.

En varias ocasiones en que estaba lavándome los dientes, o incluso sentado en el inodoro, había advertido de pronto que la ropa se movía. Entonces veía aparecer a Bob, apartando la ropa como si fueran cortinas, su cara mostrando una expresión como si dijera: «Cu–cú». Estaba claro que le parecía muy divertido.

La habilidad de Bob para meterse en problemas era otra fuente inagotable de entretenimiento.

Le encantaba mirar la televisión y las pantallas de ordenador. Podía pasarse horas contemplando los programas de vida animal o las carreras de caballos. Se sentaba muy quieto, como si estuviera hipnotizado. Así que, una tarde que pasamos por delante del nuevo y reluciente local de Apple en Covent Garden, decidí darle una sorpresa. El lugar estaba abarrotado de flamantes ordenadores portátiles y de mesa, ninguno de los cuales podría permitirme ni remotamente. Pero la filosofía de Apple era que cualquiera podía entrar y jugar con su tecnología. Y eso hicimos.

Pasamos algunos minutos jugando con los ordenadores, navegando por Internet y viendo vídeos de YouTube, cuando de pronto Bob distinguió una pantalla que tenía una demostración de un acuario, con exóticos y coloridos peces nadando. Pude imaginar por qué se sentía atraído por ella. Era absolutamente asombrosa.

Le llevé hasta la pantalla gigante y dejé que la mirara boquiabierto durante algunos minutos. Era muy divertido de contemplar. Seguía a un pez concreto mientras progresaba por la pantalla y desaparecía. Entonces, daba un salto de sorpresa. No podía comprender lo que estaba sucediendo y se deslizaba rápidamente detrás de la pantalla gigante esperando hallar al pez. Pero cuando lo único que encontraba era una pared de acero y un puñado de cables, regresaba rápidamente y empezaba a seguir al siguiente pez.

Continuó así durante varios minutos hasta que, de pronto, se puso como loco y acabó enredado en los cables. Yo me había distraído momentáneamente y cuando me di la vuelta, lo encontré con la pata enganchada en un cable blanco. Estaba tirando de él, arriesgándose a que se le cayera encima una de las gigantes consolas.

—Oh, Dios, Bob, ¿qué estás haciendo? —exclamé.

Pero no había sido el único en verlo. Una pareja de «genios informáticos» de Apple estaban ahí riéndose.

—Es una estrella, ¿no es cierto? —dijo uno de ellos. Lamentablemente, pronto se les unió otro miembro más veterano del equipo.

—Si rompe alguna cosa, me temo que tendrá que pagar los costes —declaró. Dados los desorbitados precios de los productos exhibidos en la tienda, no perdí ni un segundo en desenredarle y salir pitando de allí.

Para Bob, Londres es una infinita fuente de posibilidades donde hacer alguna maldad. Hasta el metro se ha convertido en un lugar donde poner en práctica alguna travesura.

Al principio de nuestra relación solía pegarse a mí cada vez que viajábamos en metro. No le gustaba lo de bajar escaleras mecánicas y ascensores y se sentía intimidado por las hordas de gente y la atmósfera claustrofóbica de la hora punta. Con los años, sin embargo, ha superado sus miedos. Ahora incluso tiene su propio abono transporte —regalo de la plantilla del metro de Angel—, y se comporta como cualquier otro londinense, únicamente ocupado por sus cosas. Va trotando por los túneles con soltura, caminando siempre pegado a la pared, probablemente por su seguridad. Cuando llegamos al andén, se queda detrás de la línea amarilla, sin inmutarse cuando el tren aparece en la estación, a pesar del ruido que hace. Espera a que pase por delante y luego a que se abran las puertas, antes de subirse tranquilamente a bordo y buscar un sitio vacío.

Los londinenses son famosos por no relacionarse con sus compañeros de trayecto, pero incluso el más duro de corazón se derrite un poco cuando lo ve ahí sentado, examinando detenidamente la atmósfera. Le hacen fotos con los móviles y luego se dirigen a su trabajo sonriendo. Vivir en Londres puede ser una existencia de lo más impersonal y alienante. La idea de que, de alguna forma, estamos iluminando los días de la gente, me hace sonreír.

Sin embargo, viajar en metro tiene sus peligros.

Un día, a última hora de la tarde, nos dirigíamos de vuelta a casa desde el centro de Londres y cogimos el metro a Seven Sisters, la estación más cercana a mi apartamento. En aquel momento se estaban efectuando un montón de obras y trabajos de reparación en los pasillos y Bob se sintió fascinado por las distintas piezas del equipo y maquinaria pesada que se podían ver aquí y allá.

Fue cuando ascendíamos por la escalera mecánica cuando advertí que la cola de Bob estaba pegajosa. Al mirarla más de cerca, observé que estaba impregnada de una especie de pasta negra con aspecto de alquitrán. Advertí además que también estaba adherida a su cuerpo, desde la mitad de sus costillas hasta más de media cola.

Era evidente que se había frotado contra algo durante su paseo por el metro, porque no estaba así al entrar. Yo no podía saber de qué se trataba. Parecía aceite de motor o algún tipo de grasa pesada. Tenía todo el aspecto de haber salido de algo mecánico. Supongo que debió de frotarse contra algún tipo de maquinaria.

Lo que sí sabía era que podía ser potencialmente peligroso. Y Bob también debió de pensar lo mismo, pues vi cómo se miraba el desastre y decidía que lamerlo no era una buena idea.

Apenas me quedaba saldo en el móvil, aunque tenía el suficiente para llamar a mi amiga Rosemary, una veterinaria que ya nos había ayudado en otra ocasión en que Bob estuvo enfermo. Le gustaba mucho Bob y siempre estaba dispuesta a echarnos una mano. Cuando le expliqué lo sucedido, me recomendó que fuera lo que fuera tratara de quitárselo.

—El aceite de motor y de máquinas puede ser muy tóxico para los gatos, especialmente si se ingiere o se inhala. Puede causar peligrosas inflamaciones y quemar los órganos, especialmente los pulmones, y también puede provocar problemas respiratorios, ataques e incluso muerte en los casos más graves —advirtió, consiguiendo asustarme—. Así que tienes que lavarlo sea como sea. ¿Bob se deja bañar? —preguntó—. Si no consigues quitárselo, tendrás que llevarle a la furgoneta de la Cruz Azul o a otro veterinario a primera hora de la mañana —señaló antes de que me quedara sin saldo y mi teléfono se cortara.

Cuando se trata del baño, los gatos suelen dividirse en dos categorías: aquellos que lo odian y aquellos a los que les gusta. Afortunadamente, Bob estaba dentro de la segunda categoría. De hecho, es un poco obsesivo con su baño.

Nada le gusta más que encaramarse en el borde de la bañera cuando lleno el baño. Ha aprendido que me gusta más un baño no demasiado caliente que con el agua hirviendo y se mete en la bañera para poder chapotear en ella algunos minutos.

Es muy gracioso —y también muy mono— observarle caminar alrededor después, cuando levanta y sacude una pata cada vez.

También puede volverse muy posesivo con el tapón de la bañera y suele robarlo y esconderlo. He acabado por usar un tapón improvisado para después encontrar el auténtico en el suelo del salón donde Bob había estado jugando con él.

Algunas veces he tenido que poner una jarra con peso sobre el tapón para impedir que lo robara y escondiera.

Así que, en vista de todo eso, no fue ningún problema meterle en la bañera para intentar limpiar la grasa misteriosa de su cola.

Ni siquiera tuve que sujetarle. Utilicé ambas manos para frotar su cola y su costado, usando un champú especial para gatos. Luego se lo aclaré con la ducha. La expresión de su cara cuando los chorros de agua empapaban su cuerpo fue muy graciosa, una mezcla de mueca y sonrisa. Finalmente lo sequé lo mejor que pude con una toalla. Una vez más no necesitó demasiada persuasión para que me dejara frotarlo. Le encantaba y empezó a ronronear mientras lo hacía.

Conseguí quitarle todo el pringue. Pero aún se veía una pequeña mancha en su cola y cuerpo. A lo largo de los días siguientes, sin embargo, pudo seguir lamiéndose y las manchas, lentamente, empezaron a desaparecer. A finales de esa semana, me dejé caer por la Cruz Azul de Islington y pedí que le echaran un rápido vistazo. Me dijeron que no había nada de lo que preocuparse.

—Es más fácil decirlo que hacerlo, con este siempre hay algo por lo que preocuparse —le contesté a la enfermera, comprendiendo poco después que había sonado casi como un padre.

El incidente del metro me recordó una verdad que siempre tenía en mente. En los años transcurridos desde que nos encontramos, había conseguido domesticar a Bob hasta cierto punto. Pero en el fondo de su corazón, continuaba siendo un gato callejero.

No puedo estar totalmente seguro, pero mi intuición es que debió de pasar gran parte de su niñez viviendo por su cuenta en las calles. Es un auténtico londinense, de casta y cuna, y nada le hace más feliz que explorar las calles. A menudo sonrío para mis adentros y me digo que «se puede sacar al gato fuera de la calle, pero no puedes sacar la calle fuera del gato».

Bob tiene unos cuantos lugares favoritos. En Angel, le encanta acudir a la pequeña zona ajardinada que rodea el monumento conmemorativo de Islington Green, donde es libre de husmear entre los arbustos, olfateando cualquier pista que haya captado su interés mientras hace sus necesidades. Hay algunos rincones muy tupidos donde puede desaparecer discretamente y tener unos momentos de privacidad. Aunque no es que la privacidad le importe demasiado.

También le gusta mucho el césped del jardín de la Iglesia de St Giles in the Fields, justo al lado de Tottenham Court Road. A menudo, cuando vamos paseando desde la parada de autobús de Tottenham Court Road hacia Neal Street y Covent Garden, empieza a revolverse en mi hombro para indicarme que quiere hacer una escala ahí.

El cementerio de St Giles es un oasis en mitad de una de las zonas más bulliciosas de la ciudad, con bancos para sentarse y observar el mundo pasar. Por alguna razón, sin embargo, la zona de retrete favorita de Bob está a la vista de la calle, junto a una barandilla. Le trae sin cuidado el flujo de londinenses que pasan por delante y, silenciosamente, hace allí sus necesidades.

Era algo parecido a lo que nos sucedía cuando trabajábamos en Neal Street, donde su lugar favorito era delante de un bloque de oficinas en Endell Street. Estaba completamente a la vista de varios pisos con salas de conferencias y oficinas, por lo que, una vez más, no era precisamente el lugar más privado de Londres. Pero Bob se sentía cómodo allí y siempre se las arreglaba para escabullirse entre los arbustos y poder hacer sus cosas lo más rápida y eficientemente posible.

Adonde quiera que va, es, como todos los gatos, muy metódico al respecto. Primero escarba un pequeño agujero del tamaño apropiado, luego se coloca sobre él mientras hace sus necesidades y, finalmente, lo cubre con tierra para tapar las evidencias. Siempre actúa de forma meticulosa, tratando de dejar el suelo lo más plano posible para que nadie sepa lo que hay allí. No deja de fascinarme saber por qué los gatos se comportan así. Creo haber leído en alguna parte que es algo relacionado con marcar el territorio.

Los jardines de Soho Square eran otro de sus lugares favoritos si trabajábamos por esa zona. Aparte de ser uno de los parquecillos más hermosos del centro de Londres, poseía otras atracciones para Bob. Por ejemplo, los perros estaban prohibidos, lo que significaba que podía estar tranquilo si decidía quitarle la correa. Además, era un lugar donde Bob parecía feliz, sobre todo en verano. Le fascinaban los pájaros y Soho Square estaba plagado de ellos. Se sentaba muy quieto, con los ojos abiertos como platos, observándolos fijamente y haciendo un curioso ruidito, una especie de *raa, raa, raa*. Sonaba muy mono, aunque en realidad probablemente era muy siniestro. He leído en alguna parte que los científicos piensan que los gatos imitan el ruido de masticar cuando ven a una posible prensa. En otras palabras, practican cómo triturarlos en pedazos con su boca cuando los cacen.

Eso tenía sentido. A Bob nada le gusta más que cazar ratas y ratones y otras criaturas cuando le dejo suelto en los parques.

En numerosas ocasiones, regresa a donde estoy sentado con algo que ha encontrado —y probablemente matado— mientras estaba husmeando.

Un día que estaba leyendo un cómic en Soho Square, apareció con algo absolutamente asqueroso colgando de su boca. Era parte de la cabeza de una rata.

—Bob, eso te va a sentar mal —le advertí.

Parecía saberlo mejor que yo. No creo que tuviera ninguna intención de comérselo. En su lugar, se lo llevó a un rincón y empezó a jugar con la cabeza, como si fuera su ratón de juguete del apartamento. Noventa y nueve veces de cada cien, Bob despierta miradas admirativas de los transeúntes. En esa ocasión en particular, unas cuantas personas le miraron horrorizadas.

Nunca he sido uno de esos dueños de gatos que ven a sus mascotas como pequeños angelitos, incapaces de hacer nada asqueroso. Todo lo contrario. Sabía demasiado bien que, como todos los miembros de su especie, Bob era un depredador, y ya puestos, uno especialmente eficaz. Si hubiéramos vivido en otras partes del mundo, me habría preocupado más. En algunas zonas de Estados Unidos, Australia y Nueva Zelanda, en concreto, han tratado de aprobar leyes para prohibir que los gatos salgan después de que oscurezca. Afirman que los gatos domésticos están causando tantos daños que los pájaros en particular están en peligro de extinción. Aquello no suponía ningún problema en Londres. Así que, por lo que a mí concernía, Bob era libre de hacer lo que le pedía su naturaleza mientras no corriera el riesgo de hacerse daño a sí mismo.

Por encima de cualquier cosa, supone un gran entretenimiento para él —y para mí.

Un día, por ejemplo, que estábamos a cargo del perro de Tich, Princess, decidí llevármelos a los dos a un pequeño parque cerca de los apartamentos donde vivo. No es que fuera precisamente el espacio verde más glamuroso de Londres, pero tiene una deteriorada pista de baloncesto y una zona de árboles que es suficiente para ellos.

Estaba sentado en un banco con Bob en el extremo de la larga correa que había fabricado para él cuando, de repente, divisó una ardilla gris.

Princess también la vio y pronto los dos estaban corriendo tras ella. La ardilla, lógicamente, trepó al primer árbol que encontró, pero Bob y Princess no parecieron desalentarse.

Les observé mientras se ponían de acuerdo para ver cómo sacaban a la ardilla del árbol. Era como contemplar a un equipo de las fuerzas especiales tratando de capturar a un tipo malo atrincherado en un piso franco.

Princess dejaba escapar un ladrido de vez en cuando para tratar de asustar a la ardilla. Cada vez que esta se asomaba o hacía un movimiento, los dos volvían a ajustar sus posiciones. Bob estaba cubriendo el lado que daba al amplio espacio donde yo

estaba, mientras Princess cubría las otras posibles rutas de escape de la ardilla por detrás del árbol.

Así continuaron durante veinte minutos antes de darse por vencidos.

Supongo que algunas personas debieron de pensar que me faltaba un tornillo. Pero me quedé ahí sentado riéndome divertido, absorto con cada cautivador minuto que duró aquello.

CAPÍTULO 13

Enemigo público n° 1

Un nuevo verano estaba en puertas y el sol del mediodía pegaba con fuerza cuando Bob y yo nos instalamos en un lugar a la sombra en la entrada del metro de Angel. Acababa de sacar un cuenco, llenándolo con agua para Bob, cuando vi a dos hombres acercarse.

Ambos iban vestidos de manera informal, con vaqueros y jerséis. Uno debía de tener veintimuchos años mientras el otro era, supuse, una década más mayor, probablemente de más de treinta y cinco. Casi al unísono sacaron las placas de sus bolsillos mostrándome que eran policías, miembros de la USD, Unidad de Seguridad del Distrito de Islington.

—Hola, señor. ¿Podría decirme su nombre? —me preguntó el de más edad.

—Eh… soy James Bowen, ¿por qué?

—Señor Bowen, me temo que tenemos una denuncia por agresión contra usted. Es algo serio, así que vamos a tener que pedirle que nos acompañe hasta la comisaría para hacerle algunas preguntas —explicó el más joven.

Los policías de paisano eran bastante frecuentes en las calles y ya había tenido algunos encuentros con ellos. Afortunadamente, a diferencia de algunos de sus colegas, que podían ser un tanto agresivos y poco partidarios de los vendedores de *The Big Issue*, estos dos eran muy educados.

Cuando les pedí que me dieran un minuto para recoger mis cosas y preparar a Bob, contestaron que me tomara todo el tiempo que necesitase. Me explicaron que iríamos andando hasta su cuartel general en Tolpuddle Street.

—No debería llevarnos más de algunos minutos —aseguró el más joven.

Me sorprendió lo tranquilo que me encontraba. En el pasado, me habría invadido el pánico y probablemente habría protestado de forma violenta. Era una señal de lo mucho que había ganado en autocontrol y serenidad en los últimos tiempos. Además, no había hecho nada. No había agredido a nadie.

Los policías parecían también bastante perplejos. Mientras íbamos camino de la comisaria, marchaban tranquilamente delante de mí y de Bob. Ocasionalmente, alguno se retrasaba para hablar con nosotros. En un momento dado, el más joven de los dos me preguntó si entendía lo que estaba sucediendo y si conocía mis derechos.

—Sí, claro —contesté.

Sabía que no me habían acusado formalmente de nada y que solo estaba ayudándoles con sus investigaciones. No había necesidad de llamar a un abogado ni nada por el estilo, al menos no en este momento.

Obviamente, mi cabeza era un hervidero, y no paraba de dar vueltas sobre quién habría podido hacer esa «denuncia». Ya tenía algunas ideas.

La explicación más sencilla era que se tratase de alguien que quisiera jorobarme el día. Lamentablemente, era algo muy frecuente. Había visto cómo le sucedía a otros vendedores y cantantes callejeros durante años. Alguien con envidia, o simplemente mala idea, hacía una denuncia y, en consecuencia, la policía se veía obligada a comprobarla. A veces lo hacían simplemente para conseguir que la persona se marchara de su puesto y así poder ocuparlo ellos. Sabía que a algunas personas del entorno no les gustaba demasiado el hecho de que mi puesto delante del metro se hubiera convertido en un éxito y les encantaría despojarme de él. Era asqueroso, pero lamentablemente era una realidad.

La otra posibilidad, más siniestra, era que se tratara de alguna persona que pretendiera boicotear mi libro. A estas alturas, casi todo el mundo de la comunidad de *The Big Issue* estaba al tanto de ello. Nuevos periódicos se habían hecho eco de la historia y algunos vendedores habían empezado a hacer comentarios, tanto positivos como negativos.

Uno de los coordinadores me había advertido de que alguien estaba corriendo la voz para que no se me permitiera seguir vendiendo la revista. Yo ya estaba al corriente, porque uno de los vendedores del centro de Londres me había espetado sus objeciones directamente a la cara, además de llamarme «jo★★★★ *hippie* problemático», lo que me pareció casi encantador. En mi ingenuidad, imaginaba estar haciendo algo positivo para la revista. Y sin embargo, a menudo sentía como si me hubiera convertido para todos los vendedores en el enemigo público n° 1.

Para cuando llegamos a la comisaría, ambos policías habían hecho buenas migas con Bob. Parecían realmente entusiasmados con él, hasta el punto de que, cuando entramos en el edificio, su prioridad fue ocuparse de él.

—Vamos, dejemos instalado a Bob antes de llevarle a la sala de detenidos —declaró el policía mayor.

Pronto se nos unió una policía rubia y uniformada de veintitantos años. Inmediatamente se concentró en Bob, que aún seguía encaramado en mis hombros, tratando de familiarizarse con el lugar.

—Está bien, ¿es este Bob? —preguntó, alargando el brazo y acariciándole. Él pareció congeniar con ella al instante y pronto estaba frotando su cara contra su mano, mientras ronroneaba.

—¿Cree que le importará si trato de cogerle? —me preguntó.

—Adelante, si él le deja, entonces inténtelo —contesté, notando que Bob se sentía cómodo con ella.

Como sospechaba, se dejó coger en brazos sin ningún problema.

—¿Por qué no vienes conmigo y vemos si puedo conseguirte algo rico de comer y beber? —le dijo.

Me quedé mirándoles mientras se dirigían, por detrás del mostrador de recepción, a una zona de la oficina con mesas, fotocopiadoras y aparatos con faxes. Bob parecía fascinado por las luces rojas y el zumbido de las máquinas. Se le veía contento. Así que le dejé allí y me marché con los agentes.

—No se preocupe, con Gillian estará bien —me aseguró el más joven mientras atravesábamos una serie de puertas hasta la sala de detenidos. Tuve la certeza de que decía la verdad.

Cuando nos dirigíamos a la sala de interrogatorios, empecé a sentir mariposas en el estómago. Me habían explicado que iban a interrogarme sobre lo que se conoce como una «infracción menor». Eran infracciones en las que los drogadictos o traficantes cometían delitos como ratería, hurto y agresión para conseguir drogas. De modo que, en consecuencia, sabía que me harían un análisis de drogas, así como una comprobación de mis huellas dactilares.

¡Cómo habían cambiado las cosas! De haberme sucedido un año antes, habría estado seriamente preocupado por ello. Sin embargo ahora mantuve la calma mientras me realizaban el llamado test de Cozard y frotaban el interior de mi boca buscando restos de heroína o cocaína. Sabía que estaba limpio. Se lo dije a los agentes pero contestaron que no tenían más remedio que hacerlo.

—Me temo que así son las normas ahora —replicó uno de ellos. Una vez terminaron, me hicieron sentar para hacerme algunas preguntas.

Me preguntaron si había estado en determinada dirección de Islington el día anterior. Las señas no me resultaban familiares. Entonces mencionaron el nombre de una mujer.

Años atrás, cuando estaba inmerso en mi problema de drogadicción, fui arrestado un par de veces por ratería y aprendí a contestar a cualquier pregunta de la policía con un sencillo «sin comentarios». Sin embargo, sabía que esa técnica les resultaba muy irritante, así que intenté ser más cooperador.

—Me gustaría ayudarles, pero sinceramente no sé de qué me están hablando —respondí.

No parecieron enfadarse ni insistir con las preguntas. Tampoco practicaron ese rollo de «policía bueno, policía malo». Simplemente asintieron a mis respuestas, tomaron algunas notas y eso fue todo. Después de diez minutos más o menos, habíamos terminado.

—Está bien, señor Bowen, necesitamos que se quede un poco más mientras hacemos algunas comprobaciones —dijo el más joven.

Para entonces el sol de la tarde se había vuelto muy brillante. Estaba impaciente por reunirme con Bob y volver al trabajo. Pero el reloj seguía avanzando y, antes de que me diera cuenta, empezaron a caer las sombras. Era realmente frustrante y no pude evitar preocuparme por Bob. En un momento dado, un policía de servicio me ofreció una taza de té y aproveché para preguntarle por él.

—Está bien, aún sigue con Gillian en el piso de abajo —me contestó—. Creo que incluso ha salido para comprarle algunas galletas, así que está muy contento allí.

Finalmente, los dos agentes que me habían traído regresaron a la sala de interrogatorios.

—Me temo que le hemos hecho perder su tiempo y el nuestro —comentaron—. La persona que hizo la denuncia por teléfono no ha querido presentarse para hacer una declaración formal, así que no hay ninguna evidencia contra usted y queda libre de cargos.

Obviamente me sentí aliviado. Pero también estaba furioso, si bien decidí dejarlo estar. No tenía sentido presentar una queja formal o amenazar con interponer alguna acción legal, especialmente cuando todo el mundo había sido tan amable. Lo mejor era salir de allí cuanto antes y volver al trabajo.

Una vez más, mi principal preocupación era Bob. ¿Qué habrían hecho con él todo este tiempo?

Tenía que bajar a la zona de recepción para firmar el papeleo. Bob estaba allí con Gillian. Se le veía tan contento como cuando le dejé pero, en cuanto me vio, empezó a menear la cola y sus orejas se irguieron. Saltó a mis brazos.

—Guau, alguien está muy contento de verle —declaró Gillian.

—¿Se ha portado bien? —le pregunté.

—Ha sido un cielo. ¿No es así, Bob? —le dijo.

Vi que lo había instalado en un rincón de su oficina. Me explicó que había salido a comprarle un poco de leche para gatos, una tarrina de carne y un enorme paquete de sus galletas favoritas. «No me extraña que estuviera tan contento», pensé.

Estuvimos charlando un rato mientras me traían la mochila y el peto de vendedor desde donde quiera que lo hubiesen guardado durante mi interrogatorio en el piso de arriba. Gillian me contó que, en circunstancias normales, Bob habría sido llevado al lugar donde retenían al resto de animales extraviados.

—Si hubiera tenido que quedarse a pasar la noche, habríamos tenido que pensar en meterlo allí —declaró—. Pero, afortunadamente, eso ya no será necesario.

Pronto me liberaron oficialmente. Los dos agentes se disculparon de nuevo.

—Ha debido tratarse de alguien malintencionado —les dije, estrechando sus manos antes de marcharme.

Para cuando salí de la comisaría había empezado a atardecer. Llevaba todo el día paranoico por la idea de que alguien quisiera quitarme el puesto, así que me dirigí directamente a Angel para comprobarlo. Para mi alivio, no había nadie allí.

—¿Estás bien, James? —me preguntó uno de los vendedores de flores.

—Sí, solo ha sido una broma de mal gusto. Me han denunciado por agresión.

—¿En serio? ¿Pero qué le pasa a la gente? —se indignó, sacudiendo la cabeza con disgusto.

Era una buena pregunta, una para la que lamentablemente no tenía respuesta.

Aproximadamente una semana o diez días más tarde, Bob y yo estábamos vendiendo revistas durante la hora punta cuando una atractiva chica rubia se plantó frente a nosotros. Bob pareció reconocerla y ladeó la cabeza hacia ella cuando se agachó a su lado.

—¿No te acuerdas de mí, verdad? —me dijo mientras le hacía carantoñas.

Pasaban tantos rostros por delante de nosostros en dirección al metro que era difícil reconocer a nadie. Ella vio que trataba de hacer memoria.

—¿Comisaría de Tolpuddle Street? Yo fui quien se quedó cuidando de Bob la semana pasada —sonrió.

—Oh, sí, claro. Lo siento —me disculpé, sinceramente mortificado—. Eres Gillian, ¿no es así?

—Parece que os va bien a los dos —declaró.

Muchos agentes de policía se habían detenido a hablar con nosotros a lo largo de los años, pero ella no parecía estar «de servicio».

Para empezar no llevaba uniforme.

—Voy camino a casa después de terminar mi turno —me dijo, cuando se lo pregunté—. Por razones obvias, el otro día no tuvimos oportunidad de hablar cuando estuvisteis en la comisaría —comentó Gillian—. ¿Cómo os conocisteis los dos?

Sonrió e incluso en un par de ocasiones soltó varias carcajadas cuando le resumí el principio de nuestra relación.

—Parecéis almas gemelas —declaró.

Entonces advirtió que yo andaba muy ocupado y que la hora punta estaba comenzando, así que se marchó rápidamente.

—Tal vez me pase otro día por aquí a veros, si os parece bien —comentó.

—Claro —contesté.

Fue fiel a su palabra y pronto empezó a visitarnos regularmente, trayendo a menudo regalos para Bob. Él parecía sentir un afecto especial por ella.

Gillian también era generosa conmigo. En una ocasión me trajo un café, un sándwich y una galleta de uno de los pequeños locales de bocadillos del barrio. Estuvimos charlando un rato, comentando lo que había sucedido en la comisaría unas semanas antes. Una parte de mí sentía curiosidad por descubrir quién había puesto la denuncia contra mí, pero sabía que ella no podía entrar en demasiados detalles. Hubiera sido arriesgado para ella.

Le expliqué lo que nos estaba pasando con el libro y cómo parecía haber generado más animosidad que otra cosa.

—Bah, no te preocupes por eso. La gente siempre tiene celos del éxito de los demás. Parece algo estupendo —declaró—. Tus amigos y la familia deben estar muy orgullosos de ti.

—Sí, lo están —admití, poniéndole una sonrisa avergonzada y encendiéndome un cigarrillo.

Lo cierto es que no tenía demasiados amigos. Aparte de Belle, no había nadie en quien pudiera apoyarme —ya fuera en los buenos tiempos o en los malos—. Tenía a Bob y prácticamente eso era todo.

Era, en cierto modo, la vida que me había construido. Una consecuencia del entorno en el que había pasado la última década.

Cuando caí en las drogas me aparté del mundo. Las únicas relaciones que me importaban en aquel momento eran las que mantenía con mis camellos. Pero incluso ahora que estaba limpio, me costaba mucho entablar relaciones. Los motivos eran muy diversos. Para empezar el dinero. Para hacer amigos tienes que salir y hacer vida social, lo que cuesta un dinero que yo raramente tenía. Pero, en un nivel más profundo, también me resultaba difícil confiar en la gente. En los peores momentos de mi dependencia de las drogas, había estado en hostales donde sabías que cualquiera podía robarte todas tus pertenencias en algún momento. Incluso cuando estabas dormido. Así que me volví muy receloso. Era triste pero, en cierto modo, aún seguía teniendo esa sensación. Los sucesos de hacía pocas semanas lo habían puesto de manifiesto. Alguien había hecho una falsa acusación contra mí. Por lo que yo sabía, podía haber sido cualquiera de los que veía cada día de la semana. Incluso alguien al que yo tuviera por «amigo».

Por eso, mientras miraba cómo Bob jugaba con Gillian, una parte de mí deseó ser tan simple y directo como él. La había conocido en extrañas circunstancias, pero había sentido inmediatamente que podía confiar en ella. Sabía detectar en sus huesos cuándo una persona era decente y, en consecuencia, la había acogido como amiga. Sabía que no me iba a resultar fácil, pero tenía que intentarlo con más ganas. Debía emprender ese mismo sendero de la confianza. Pero para hacerlo, tenía que cambiar mi vida. Tenía que salir de las calles.

CAPÍTULO 14

Orgullo y prejuicio

Era el primer sábado de julio y las calles del centro de Londres estaban atestadas de gente debido a la celebración anual del desfile del Orgullo Gay. El West End era un mar de colores —o más bien de tonos rosas—, ya que el buen tiempo había atraído a más juerguistas de lo normal. Según las noticias, un millón de personas se habían lanzado a las calles para contemplar el enorme desfile de carrozas llenas de travestis, bailarines y gente con espectaculares disfraces abrirse paso lentamente desde Oxford Circus y bajar por Regent Street hasta Trafalgar Square.

Había decidido matar dos pájaros de un tiro y pasar el día contemplando la cabalgata y los fabulosos trajes, al tiempo que aprovechaba para vender unos pocos ejemplares en un puesto en Oxford Street cerca de la estación de metro de Oxford Circus.

Era un día muy lucrativo para todos los vendedores de *The Big Issue,* así que, como «visitante» desde Islington, puse gran cuidado en mantenerme dentro de las normas. Algunos puestos, como el mío frente a la estación de metro de Angel, estaban diseñados para ser ocupados por un único vendedor autorizado, en cambio otros, como el que había elegido hoy, eran libres para cualquiera, siempre que no hubiera nadie trabajando en él. También había puesto cuidado en no «deambular», que es el término que empleamos cuando alguien se dedica a vender caminando por las calles. Ya me había saltado la norma en el pasado y no quería repetir la experiencia.

Durante la década que llevaba en las calles, el Orgullo Gay había ido creciendo desde ser un pequeño y, en cierto sentido, desfile político hasta convertirse en una de las fiestas más importantes que tenían lugar por las calles de la ciudad, únicamente superado por el Carnaval de Notting Hill. Este año la multitud se apiñaba en filas de cuatro o cinco personas de fondo, pero todo el mundo parecía estar de un increíble buen humor, incluyendo a Bob.

Se había acostumbrado a moverse entre grandes multitudes. Hubo un tiempo en que padeció una ligera fobia por la gente con extrañas vestimentas. Incluso en una ocasión, años atrás, salió corriendo al ver a un tipo con un enorme disfraz hinchable a las puertas de Ripley «¡lo crean o no!» en Piccadilly Circus. Sus años de pasear por las calles de Londres y Covent Garden, en particular, parecían haber aplacado sus miedos. Había visto de todo, desde extrañas estatuas humanas pintadas de plata a tragafuegos franceses o dragones gigantes durante la celebración del año nuevo chino. Aquel día no escaseaban precisamente los disfraces escandalosos ni la gente soplando sus trompetas y silbatos, pero se tomó las cosas con calma. Iba todo el tiempo sentado en mis hombros, absorbiendo la atmósfera festiva y feliz por la atención que recibía de las hordas de gente. Algunas personas le conocían por su nombre y me pidieron hacerse una foto con nosotros. Uno o dos incluso me dijeron que estaban deseando saber algo más de nuestra historia en el libro.

—Primero tenemos que escribirlo —medio bromeé.

Cuando el desfile llegó a su fin, Bob y yo nos dirigimos hacia Soho Square, donde habían montado un escenario para conciertos y otros eventos, y desde allí giramos por Old Compton Street, la zona en que se encuentran muchos de los bares gays más populares de Londres. La calle estaba totalmente abarrotada de gente, y muchas de las personas que habían participado en la cabalgata se habían acercado hasta allí para relajarse y tomar unas copas. A mitad de la calle más o menos, decidí fumar un cigarrillo. No tenía encendedor, así que me detuve junto a una mesa en el exterior de una taberna y pedí fuego. Para mi sorpresa, un gay vestido únicamente con unos calzoncillos rosas, un par de alas de ángel y un halo me tendió un mechero. No quise imaginar de dónde lo había sacado.

—Aquí tienes, colega. Por cierto, bonito gato —declaró mientras me daba fuego.

Aún estaba charlando con el tipo cuando sentí un golpecito en el hombro. Me di la vuelta y me encontré con una inspectora social llamada Holly. A juzgar por la forma en que iba vestida, con pantalones cortos y camiseta, supuse que no estaba trabajando, aunque, como más tarde pude constatar, estaba equivocado.

—James, estás «deambulando» —advirtió.

—No, no lo estoy, Holly. Me he parado a pedirle fuego a este tío. Pregúntale si quieres —declaré.

—Estás deambulando, James. Te he visto —insistió inflexible—. Voy a tener que informar sobre ti.

Me quedé alucinado.

—¿Cómo? Vamos, Holly. ¿Vas a presentar un informe porque haya intentado pedir fuego? —protesté, agarrando con fuerza la bolsa en la que ahora solo quedaban un par de revistas sin vender—. Ya he acabado por hoy. Ni siquiera he sacado los ejemplares.

—Sí, claro —replicó con tono sarcástico, antes de perderse entre la multitud.

No sabía si tomarme en serio su amenaza o no. Cada inspector social era diferente. Algunos llevaban a cabo sus amenazas, y otros simplemente las hacían como advertencia. Decidí no dejar que me chafara el día y disfrutar de la atmósfera festiva.

Me cogí el domingo libre y volví al trabajo el lunes, como siempre. Para entonces ya me había olvidado completamente de Holly. Fue el miércoles cuando los problemas comenzaron.

Al llegar a Islington antes del mediodía, fui a ver a Rita, la coordinadora de Islington Green para comprar nuevos ejemplares de la revista.

—Lo siento, James, no puedo venderte ninguno. Estás en la lista de «Casos a revisar» —me explicó.

—¿Qué?

—Aparentemente alguien te vio deambular por el West End. Ya sabes cómo es esto. Tienes que presentarte en la sede de las oficinas en Vauxhall.

—Maldita Holly —murmuré para mis adentros.

Estaba furioso por toda clase de razones. La primera y principal, por supuesto, por lo absurdo de acusarme de haber estado deambulando. Ya había tenido antes ese problema debido a la mucha gente que se nos acercaba a Bob y a mí cuando caminábamos por las calles de Londres.

Sabía que no podía vender revistas mientras estuviéramos en movimiento. Únicamente podía hacerlo desde mi puesto fijo. Siempre había intentado explicárselo a la gente y, si bien algunos se sentían confusos e incluso ofendidos, lo normal es que siguieran su camino sin darme nada. Lamentablemente, lo único que se necesitaba era que otro vendedor de *The Big Issue* o un inspector social te viera teniendo cualquier tipo de intercambio con alguien en la calle para que sumaran dos más dos igual a cinco.

Era un auténtico incordio tener que desplazarse hasta Vauxhall, pero quería conservar mi puesto en Angel a toda costa. El libro solo era una fase pasajera, y no podía dar la espalda a los ingresos que me daban de comer a diario.

Tuve que esperar durante casi media hora en las oficinas de *The Big Issue* antes de poder ver a un supervisor. Cuando finalmente me recibió, me dijo que me habían mencionado en la reunión semanal de supervisores donde se decidían los puestos, las disputas y el mal comportamiento de los vendedores y otras cuestiones.

—Me temo que voy a tener que imponerle un mes de suspensión. Un inspector le vio deambulando por las mesas de los bares —declaró.

Traté de defenderme. Pero fue una pérdida de tiempo. En *The Big Issue* eres culpable a menos que apeles formalmente. Ya había pasado por ese proceso, pero entonces tenía mi base de operaciones en Covent Garden. En esa ocasión, también fui injustamente acusado de deambular. Al final había sido mi palabra contra la de los demás. Pero al parecer mi palabra no valía nada y perdí.

Sabía que era inútil apelar esta vez, así que decidí aguantarme y aceptar la suspensión. Firmé el papeleo necesario, entregué mi peto y mi tarjeta de identificación y me marché a casa disgustado, pero resignado porque las cosas fueran siempre así.

—¿Cómo es ese dicho? «No hay acto bueno que quede sin castigo»—, le dije a Bob cuando nos sentamos en el metro de vuelta a casa.

Suponía que con el libro todavía por escribir, me pasaría el mes trabajando en él, saliendo a tocar la guitarra de vez en cuando a la calle y regresando a la estación de metro de Angel en un mes. Si tan solo hubiera sido así de simple.

Cuando terminó el mes, regresé a las oficinas de *The Big Issue*. No estaba muy seguro de que me devolvieran mi peto y mi tarjeta de identificación ese día, así que lleve mi guitarra conmigo, en caso de que tuviera que continuar tocando en la calle. No tenía por qué preocuparme. Me dijeron que había cumplido mi «sentencia» y me devolvieron mis cosas. Además, aproveché para comprar un paquete de revistas que llevarme a Angel.

—De vuelta al trabajo, Bob —comenté mientras cogíamos el autobús que nos llevaría al otro lado del Támesis.

Al llegar a Angel, salí de la estación de metro y vi que mi puesto estaba vacío. Aún seguía registrado a mi nombre, así que técnicamente nadie podía ocuparlo, aunque no me hubiese sorprendido haberme encontrado a alguien. De modo que me instalé como de costumbre y empecé a trabajar.

Llevaba allí aproximadamente media hora cuando llegó otro vendedor. Se trataba de un tipo al que había visto por los alrededores alguna vez. Era relativamente nuevo en *The Big Issue* y tenía un viejo perro de aspecto descuidado y mal carácter.

—¿Qué estás haciendo aquí? Este es mi puesto —declaró.

—No, no lo es —dije, confuso—. Este ha sido mi puesto desde hace más de un año.

—Tal vez fuera tu puesto hace un año, pero ahora es el mío. Estoy registrado en la oficina principal.

—¿Qué? No sé de qué vas, colega. Bob y yo formamos parte del mobiliario de este lugar. Incluso han escrito sobre nosotros en los periódicos —repliqué, tratando de no perder el control.

Se limitó a encogerse de hombros y a resoplar.

—¿Qué quieres que te diga, tío? —murmuró—. Vete a hablar con Rita. Ella te lo explicará.

—Lo haré colega, no te preocupes por eso —contesté encaminándome directamente al otro lado de High Street, hacia el puesto del coordinador de Islington Green.

Resultó evidente que algo iba mal porque el rostro de Rita se descompuso al verme.

—Ah, hola, James —dijo, negándose a mirarme a los ojos—. Verás. No ha sido mi decisión. Le dije que era tu puesto y que estabas suspendido por un mes. Se mantuvo lejos durante un día, pero entonces se acercó hasta Vauxhall y alguien revocó mi decisión. Le dijeron que podía quedárselo todo el tiempo. No pude hacer nada.

Me quedé petrificado. Durante un instante no fui capaz de encontrar las palabras.

Tal vez suene jactancioso, pero lo cierto es que yo había convertido ese puesto en una máquina de hacer dinero para *The Big Issue* y para mí, obviamente. Hasta que llegué aquí, nadie había querido trabajar en ese lugar. Estaban convencidos de que la gente llevaba siempre demasiada prisa como para detenerse justo delante del metro y, menos aún, entretenerse con un vendedor. Pero, gracias en gran parte a Bob, por supuesto, conseguí establecerme ahí. Incluso los inspectores sociales tuvieron que admitir que el número de personas que se acercaban a verme era increíble. Como también las ventas de la revista.

—No puedo creer que me hagan esto —protesté a Rita, tratando de asimilar lo sucedido—. ¿Es porque tengo un libro en marcha y piensan que ya no necesito vender más? —pregunté—. Porque si es así, están equivocados. El libro es solo flor de un día. Necesito seguir trabajando regularmente.

Sin embargo Rita no respondía. Continuó sacudiendo la cabeza y diciendo «no lo sé» o «lo siento».

Al final acabé dándome la vuelta con Bob en mis hombros.

Echando la vista atrás, no estoy orgulloso de lo que hice a continuación, pero me sentía tan estafado y tan injustamente tratado que decidí tomarme la justicia por mi mano.

Regresé a la boca del metro y me enfrenté de nuevo con el tipo.

—Mira tío, aquí tienes veinte libras por el puesto. ¿Qué me dices? —le propuse.

Se lo pensó un momento y luego aceptó el billete, recogió sus revistas y se marchó con su perro a remolque. Apenas habían pasado diez minutos cuando regresó, esta vez seguido por Holly.

—James, este ya no es tu puesto —declaró.

—Sí, lo es. Le he pagado a este tío veinte libras para recuperarlo —contesté.

—Las cosas no funcionan así y lo sabes, James —declaró.

Sentí que mi cabeza se disparaba. No podía entender por qué me hacían esto. ¿Acaso me había comportado tan mal? ¿Acaso era tan impopular entre la comunidad de *The Big Issue*? Debía ser eso. Todos parecían tener algo contra mí.

—Entonces, ¿te importa devolverme mis veinte libras? —le dije al tipo.

—No. Aún no he ganado nada —declaró.

Pude advertir que no había comprado ningún ejemplar, de modo que no se había gastado el dinero. Lo dejé pasar y me puse a tocar la guitarra un par de metros más lejos de mi puesto habitual.

—James, ¿qué estás haciendo? —preguntó Holly. La ignoré y seguí tocando.

Ella se marchó para regresar a los pocos minutos en compañía de un oficial de policía y de otro trabajador social, John.

—Me temo que voy a tener que pedirle que se vaya, señor. De lo contrario, no me quedará más remedio que detenerle —dijo el agente.

—James, también vas a tener que entregar tu peto y tu tarjeta de identificación —señaló Holly—. Y recibirás otra suspensión por esto.

Apenas me lo habían devuelto unas horas antes. Pero se lo entregué, y también la tarjeta de identificación.

Esta vez sabía que los de *The Big Issue* me impondrían una sanción más dura, y así fue: seis meses de suspensión. Decidí que ya había tenido bastante. Debía poner fin a mi asociación con ellos. No es que me hiciera mucha gracia. Vender la revista me había ayudado mucho. Pero tenía una profunda sensación de injusticia.

No era ningún ángel. Y para ser sincero, no creo que nadie que vende *The Big Issue* lo sea. Todos tenemos nuestros defectos. No estaríamos trabajando en las calles si no fuera así, ¿no es cierto? Y por otro lado, también comprendí que me había propasado al reaccionar de ese modo, perdiendo los estribos al descubrir que le habían dado mi puesto a otro. Me sentía traicionado, especialmente porque Bob y yo nos habíamos convertido en los embajadores no oficiales de la revista. Después de que participáramos en la primera marcha nocturna, nos convertimos sin lugar a dudas en los rostros públicos del evento, apareciendo en un montón de anuncios publicitarios para la segunda marcha que se celebró. A estas alturas, también había aparecido en el *Islington Tribune* un par de veces y en el *Camden Journal*. Incluso *The Independent* había publicado un artículo. Todos y cada uno de ellos mencionaban que yo era vendedor de *The Big Issue*. Era la clase de política de buen rollo que querían. Nosotros representábamos el espíritu de la caridad: ellos nos ayudaban a ayudarnos a nosotros mismos. O al menos, eso pensaba.

Empecé a preguntarme si realmente lo veían de otra forma. Tal vez pensaron que me estaba volviendo alguien engreído o que me creía demasiado importante. Incluso repasé mi contrato con ellos para comprobar si, tal vez, había roto alguna norma al acceder a escribir el libro. Pero sorprendentemente no encontré nada. Los vendedores de *The Big Issue* no suelen firmar por lo general contratos con grandes editoras para escribir sus historias.

Todo era muy confuso. Realmente no sabía qué pensar. Una vez más, empecé a preguntarme si el alto perfil que Bob y yo estábamos adquiriendo no sería un arma de doble filo. Pero sabía lo que tenía que hacer.

No me pasé por Vauxhall para firmar la suspensión de seis meses. Por lo que a mí concernía, había vendido mi último ejemplar de la revista. Estaba harto de su política y de todas esas puñaladas traperas. Aquello acababa por sacar a relucir lo peor de la gente —y lo que era más preocupante, estaba sacando lo peor de mí—. A partir de ahora tenía que concentrarme en Bob, en el libro y en todas las cosas que sacaban lo mejor de mí.

CAPÍTULO 15

Tú vas a ser quien me salve

El desastre de Angel me dejó un tanto deprimido y desconcertado durante un tiempo. En el fondo sabía que había hecho
lo correcto, pero aun así había momentos en los que me preocupaba haber dado un paso en falso. Temía haberme ganado un
enemigo en *The Big Issue* y que estos, de alguna forma, acaba-
ran volviéndose contra mí.

Tardé una semana o algo más en quitármelo de la cabeza.
Me llamé al orden. Me dije que no podía seguir dándole vueltas para siempre. Tenía que continuar y, más en concreto, debía
centrarme en las cosas positivas, especialmente en el libro.

Este había sido entregado a los editores, que parecían con-
tentos con él. Una parte de mí se preguntaba si, tras leerlo,
no se irían a echar atrás. Mi historia no era precisamente un cuento muy romántico ni glamuroso. La vida en las calles que des-
cribía era dura y, en algunos momentos, profundamente desagradable. Durante una semana o dos después de que Garry y
yo entregáramos el manuscrito, estuve medio esperando una llamada de teléfono diciendo: «Lo siento, hemos cometido un terri-

ble error». Pero no sucedió. En su lugar me dijeron que pensaban publicarlo la próxima primavera, en marzo.

Ahora tenía un objetivo a la vista pero, mientras tanto, debía seguir ganando dinero, así que volví a mi guitarra y a Covent Garden.

Tenía sentimientos encontrados al respecto. En la parte negativa, después de un par de años vendiendo *The Big Issue*, sentía como si de alguna forma aquello fuera un paso atrás. Tocar en las calles suponía, en cierto sentido, estar a solo un escalón de pedir limosna. Creía haber dejado atrás esos días.

La otra pega era que mi voz se había deteriorado. Haber ido pregonando «*The Big Issue, The Big Issue*» cientos y cientos de veces al día me había exigido un esfuerzo extra de laringe comparado con cantar una melodiosa canción de vez en cuando. Así que cuando cogí mi guitarra y empecé a cantar de nuevo, sentí que estaba muy por debajo de mi nivel, o al menos de la última vez que estuve cantando. Además, tocar la guitarra durante largos períodos exigía cierta práctica. Y para empezar ya no tenía callos en los dedos.

Eso por la parte negativa, aunque también había cosas positivas. Traté de centrarme en ellas.

La más importante era que suponía un paso hacia la independencia. *The Big Issue* había sido, sin lugar a dudas, una fuerza muy positiva en mi vida. El inspirador mantra por el que se regían siempre había sido tender la mano al que lo necesitaba, más que dar limosna. Y eso, ciertamente, se había cumplido en mi caso. Me había ayudado a conseguir un poco de estabilidad en mi vida. Sin ellos probablemente nunca me habrían pedido que escribiera un libro.

Es cierto que me costaba atenerme a las reglas de su organización. En parte por mala suerte, y en parte debido a discrepancias de personalidad, pero en general —y en eso no podía quitarme responsabilidad— había sido por mi culpa. No se me daba muy bien someterme a la autoridad. Nunca había sabido hacerlo.

Así que estar de nuevo por mi cuenta era muy agradable. Sentía como si hubiera recuperado la libertad.

Por supuesto, otro aspecto positivo era que Bob y yo ahora éramos conocidos. Gracias a los diversos artículos aparecidos en los periódicos y en Internet, nos habíamos convertido en pequeñas celebridades locales.

Desde el primer día que empecé a tocar, me quedó claro que atraíamos a muchas más personas que antes. Había momentos en que se formaban pequeños semicírculos de turistas, transeúntes o gente que iba de compras rodeándonos, algunos haciendo fotos con sus cámaras o agachándose para acariciar a Bob. Me sorprendió descubrir a un montón de personas que hablaban idiomas que ni siquiera reconocía, mientras sonreían, señalando y diciendo: «Aaah, Bob».

Bob parecía disfrutarlo. Una de las canciones más solicitadas de mi repertorio era «Wonderwall» de Oasis. Era una canción muy fácil de interpretar. Simplemente había que poner una cejilla en el segundo traste de la guitarra y empezar a rasguear. La había tocado cientos de veces, pero ahora, cada vez que repetía los familiares acordes, la letra parecía llegarme más hondo que nunca, en especial la frase del estribillo que decía: «Quizás tú vas a ser quien me salve». Mientras bajaba la vista hacia Bob, comprendí que se podía haber escrito pensando en él. Aunque en nuestro caso no había ningún quizás. Él me había salvado.

Otro aspecto positivo de estar en Covent Garden era que allí la vida nunca era monótona. Casi enseguida recordé que la zona tenía un ritmo y una vida propios. El momento más bullicioso del día era la hora punta de la tarde, alrededor de las siete, cuando las hordas de personas se dirigían a casa después del trabajo y una oleada aún mayor aparecía para visitar los bares, restaurantes, teatros y óperas.

Viendo la vida pasar desde nuestro puesto en Neal Street, no era difícil adivinar a dónde se dirigía cada uno. Por un lado estaban los adolescentes que salían de juerga a la discoteca, situada unos cuantos metros más allá. Las chicas iban vestidas con minifaldas, altísimos tacones, chaquetas de cuero y gel fijador para el pelo. Y por otro, los amantes de la ópera que, generalmente, eran los mejor vestidos, los hombres a menudo con esmoquin y las mujeres con trajes de noche y adornadas con muchas joyas. Incluso podías oír cómo algunos de los abalorios tintineaban mientras se apresuraban en dirección a la Piazza y a la Royal Opera House. La zona estaba llena de personajes curiosos. Cuando por fin establecimos nuestra rutina, de nuevo conseguimos atraer a más gente de lo acostumbrado.

Una tarde, un par de semanas después de haber entrado en el verano, advertí un rostro desconocido en la acera, a pocos metros de nosotros.

No era extraño que otras personas se instalaran en la zona, tratando de ganarse algunas monedas. Algo que a mí me parecía perfecto siempre que no interfirieran con nuestro modo de ganarnos la vida. Los únicos rivales que realmente me incomodaban eran los «pedigüeños», colaboradores independientes de las asociaciones humanitarias que salían a recorrer la zona de cuando en cuando dando la lata a la gente.

No pretendía ser hipócrita. Todos teníamos que ganarnos la vida, y yo mismo había sido un poco insistente cuando vendía *The Big Issue*. Pero los pedigüeños llevaban las cosas demasiado lejos y su comportamiento a veces era tan impertinente e intrusivo que bordeaba el acoso.

Ese tipo, sin embargo, definitivamente no era uno de ellos. Tenía la piel oscura e iba vestido con bastante elegancia, con un traje. Llevaba una cesta de aspecto extraño que colocó en el suelo. Supuse que sería algún tipo de animador callejero, pero no sabía lo que esperar.

Estaba muy intrigado y me senté a observarle durante algunos minutos, confiando en que aliviara el aburrimiento de ese día. No me decepcionó. Pronto hundió la mano en la cesta y extrajo una serpiente amarilla que empezó a enroscar alrededor de su cuello. Yo no era ningún experto en serpientes, pero hubiera jurado que se trataba de una pitón albina. Era muy gruesa y de casi un metro de largo. Entonces empezó a jugar con ella, pidiendo algún donativo a los transeúntes.

—Mira Bob, tenemos a un encantador de serpientes —sonreí, mientras observaba a la imponente criatura enroscarse alrededor del tipo.

Bob estaba calibrando la situación con detenimiento, pero era evidente que no entendía lo que estaba pasando. Estábamos a casi diez metros de distancia, por lo que no podía verla bien, de modo que se acomodó en su posición favorita a la sombra para echar su cabezadita de la tarde.

El tipo llevaba ahí alrededor de cuarenta minutos o más cuando se acercó para saludar. Aún tenía la serpiente enrollada en el cuello, como si fuera una gran pieza de joyería.

—Hola, tíos, ¿qué tal estáis? —dijo con un fuerte acento que supuse sería portugués o posiblemente brasileño.

Bob había estado dormitando bajo el sol de la tarde, pero le vi incorporarse y echar un buen vistazo a nuestro curioso visitante. Advertí que su mente trabajaba a toda velocidad tratando de averiguar qué criatura era esa —y si se trataba de una presencia bienvenida en su mundo—. No le llevó demasiado tiempo alcanzar una conclusión.

Mientras Bob adelantaba su cabeza para poder mirar mejor, la serpiente decidió sacar su larga lengua bífida soltando un aterrador siseo. Parecía sacada de *El libro de la selva*.

Bob se quedó horrorizado. Emitió una especie de maullido lastimero y se abalanzó sobre mí suplicando que le subiera a mis hombros. Estaba seguro de que, de no haber tenido el arnés enganchado a mí, se habría dado la vuelta y salido pitando, como le pasó una vez en Angel, cuando un perro muy agresivo quiso atacarle.

—Lo siento, colega, no pretendía asustar a tu gato —se disculpó el tipo, comprendiendo lo que había hecho y quitándose la serpiente de los hombros.

—Creo que me apartaré unos metros de aquí y probaré qué tal me va un poco más abajo de la calle.

Bob pasó el resto de la tarde muy nervioso. Estaba tan paranoico por el miedo a encontrarse con otra serpiente que no dejaba de atacar las cintas de mi mochila. Llevaba años sentándose encima de ella y nunca había tenido el menor problema. Pero, de repente, cualquier cosa que le recordara a la pitón amarilla debía ser tratada con el máximo recelo, por lo que continuó atrapando las cintas con los dientes y lanzándolas al aire como para comprobar si estaban vivas.

Le llevó varios días reponerse del susto de la serpiente. Cada vez que alguien se nos acercaba en la calle o en cualquier otro lado se ponía en guardia y no dejaba de mirar a los hombros de quien fuera que se aproximase, como si le preocupara que tuviera algo escondido detrás. Debió de ser muy desconcertante para él. Durante todos estos años había sido la única criatura que merodeaba por las calles enroscada en el cuello de un hombre. Creo que le descolocó completamente ver a otra criatura así, especialmente a una tan extraña y de aspecto tan temible.

Por supuesto, todo formaba parte de haber regresado al disparatado mundo de Covent Garden.

No todo el mundo en las calles era tan comprensivo. Seguía siendo un lugar competitivo y, en ocasiones, agresivo, lleno de gente que solo miraba por sí misma.

Bob y yo estábamos pasando felizmente la tarde en Neal Street cuando un joven apareció cargado con un amplificador y un micrófono. Iba vestido con la ropa típica de los patinadores callejeros, con una gorra de béisbol y unas zapatillas Nike. Vi cómo se instalaba y esperé a que sacara su instrumento, pero no había ninguno. Lo único que tenía era un micrófono.

De modo que continué tocando mi música.

Sin embargo, no pude quitármelo de la cabeza mucho tiempo. En cuestión de minutos, escuché un ruido ensordecedor y repetitivo que retumbaba por todas partes. El chico estaba paseando con el micrófono pegado a los labios e imitando ruidos de percusión. Soy fan de todo tipo de música, pero este no era mi estilo favorito. Por lo que a mí respecta, no era ni remotamente musical, era solo ruido.

Bob, a juzgar por su expresión, compartía mi misma opinión. Tal vez porque había pasado mucho tiempo oyéndome tocar la guitarra acústica, el hecho es que parecía gustarle ese tipo de música. También se había acostumbrado al *rock* duro más ligero. Inmediatamente dejó clara su opinión sobre esa música. Bajé la vista y le vi entornando los ojos hacia donde estaba el chico con lo que solo puedo describir como una expresión de completo desprecio en su cara.

Había veces en las que me dejaba llevar por Bob, y esa fue una de ellas.

Se levantó, ladeó la cabeza hacia mí y me hizo saber, sin que cupiera ninguna duda, que debíamos movernos. Recogí mis cosas y me desplacé aproximadamente unos sesenta metros más abajo de la calle, empezando a tocar de nuevo. Aún podía escuchar el estruendo del chico, pero al menos era capaz de oír mis pensamientos.

Fue un espejismo.

El ruido producido por el chico era tan molesto que la gente debió de quejarse porque, en menos de media hora o así, apareció un furgón de la policía. Observé desde la distancia cómo una pareja de agentes se bajaba del vehículo y se acercaba a él. Vi al chico levantar los brazos en protesta, pero eso no le llevó a ningún lado. Unos minutos después de la aparición de la policía, observé cómo desconectaba su micrófono y empezaba a recoger.

Casi podían escucharse los suspiros de alivio provenientes de las oficinas, cafés y restaurantes de alrededor.

—Menos mal que se ha acabado, ¿eh, Bob? —dije.

Pero mi alegría duró poco. Los policías nos divisaron a Bob y a mí sentados en la acera y se acercaron a nosotros.

—No tienes licencia para tocar aquí, colega —dijo uno de ellos.

Podría haber zanjado el asunto y decir que teníamos derecho a estar allí, lo que en cierta forma era verdad. Pero decidí no jugármela. Haber conseguido abrirme camino de nuevo en la vida de Covent Garden ya era lo suficientemente difícil como para agravar la situación con la policía. «Escoge tus batallas, James», me dije, y, a resultas de lo que sucedió poco tiempo después, fue una sabia decisión.

Era justo después del mediodía y la multitud de turistas y gente de compras empezaba a aumentar. Bob y yo habíamos llegado antes que de costumbre, en parte porque era el primer día de buen tiempo de toda la semana, pero también porque teníamos que marcharnos a primera hora de la tarde y volver pronto a casa para una visita al médico.

Había desarrollado un incómodo problema pulmonar y llevaba más de una semana sin apenas dormir, tosiendo y con muchos pitidos al respirar. Tenía que hacer algo al respecto. Empezaba a sentirme realmente atontado por la falta de sueño.

Apenas me había instalado y empezado a tocar, cuando una mujer con un jersey de cordoncillo azul y pantalones se acercó directamente hacia mí. Pude advertir que no era una turista. Al aproximarse más, distinguí que su jersey tenía charreteras, distintivos y un logo familiar. Era de la Real Sociedad Protectora de Animales.

En circunstancias normales, yo era un gran admirador y partidario de la RSPA. Hacen un gran trabajo impidiendo el maltrato de animales y contribuyendo al bienestar animal en general, y me había sido de gran ayuda en el pasado. La primera vez que encontré a Bob malherido en el vestíbulo de mi edificio, le llevé a una de sus clínicas ambulantes. Allí, además de darme las recetas para la medicación que Bob necesitaba para sanar de sus heridas, el veterinario me había dado muy buenos y sabios consejos sobre cómo tratar a Bob y cuidarle.

Eso ahora parecía un recuerdo muy lejano. Hoy, sin embargo, tuve la intuición de que su presencia no iba a traer buenas noticias.

—Hola, James, ¿cómo estás? - —Saludó la mujer, sacando su tarjeta identificativa. En ella se decía que era inspectora.

Me sentí un tanto desconcertado por el hecho de que supiera mi nombre.

—Bien, gracias. ¿Cuál es el problema?

—Se me ha pedido que viniera a verte porque me temo que hemos recibido quejas de que estás maltratando a tu gato, ¿se llama Bob, verdad?

—¿Qué? ¿Maltratándole? ¿Cómo?

Me quedé horrorizado. Mi cabeza no paraba de dar vueltas. ¿Quién se había quejado? ¿Y qué habían dicho sobre lo que le hacía a Bob? Por un instante creí que iba a ponerme enfermo, pero sabía que no podía perder la cabeza, en caso de que la cosa se pusiera seria.

—Estoy segura de que son quejas infundadas. De hecho te he estado observando durante un rato antes de acercarme a ti y he podido comprobar que tratas muy bien a Bob —declaró, haciéndole una pequeña caricia debajo de la barbilla—. Pero necesito tener una charla contigo y examinarle para comprobar que no tiene nada mal, si te parece bien.

—Adelante —accedí, sabiendo que no tenía elección.

Dejó su mochila en el suelo, sacó un cuaderno y un par de instrumentos y se arrodilló para empezar a examinar a Bob.

Él no siempre se tomaba bien el que la gente le palpara y examinara. A lo largo de los años había reaccionado de malas maneras ante un par de veterinarios y, en una ocasión, había gruñido y arañado a una enfermera que le había cogido de forma un tanto brusca. Así que me preocupó un poco que fuera a reaccionar mal ante esa extraña, especialmente si advertía mi nerviosismo. «Solo me faltaría eso», me dije.

Por descontado, no era la primera vez que alguien me acusaba de maltratar a Bob. Había tenido que escuchar toda clase de acusaciones dirigidas contra mí. Por lo general las quejas podían clasificarse en tres categorías. La primera era que le estaba explotando y «utilizando» para mi propio beneficio. Mi respuesta a ese argumento era siempre la misma. Como alguien había dicho una vez, un gato puede ser tu amigo, pero nunca puede ser tu esclavo. Un gato nunca va a hacer algo que no quiera hacer. Y nunca se quedará con alguien con quien no quiera estar, por mucho que esa persona quiera retenerlo. Bob tenía una personalidad muy fuerte, y una fuerza de voluntad genuina. Si yo no le gustara o no confiara en mí, no se habría quedado conmigo. Además, él era quien decidía si quería venir conmigo cada día.

Todavía había días en los que no le apetecía salir a la calle. Pero, para ser sinceros, no eran muchos. Se divertía ostensiblemente saliendo o merodeando, conociendo gente y recibiendo halagos. Pero cuando se escondía o se negaba a seguirme hasta la puerta de casa, siempre respetaba su decisión. Sabía que, por supuesto, siempre habría quien no lo creyera, pero esa era la verdad.

La segunda acusación típica era que le estaba maltratando por tenerlo atado a la correa. Si hubiera cobrado una libra por cada vez que había escuchado decir: «Oh, no deberías llevarle con una correa, es un gato y no un perro», ahora sería un hombre rico. Había explicado las razones tantas veces que estaba harto de oírme decir las palabras. En varias ocasiones en que había salido corriendo en Piccadilly Circus y en Islington, se sintió muy aliviado y se negó a despegarse de mí cuando lo encontré. Me había jurado no permitir que eso volviera a pasar. Pero, una vez más, podría haber estado repitiéndolo hasta la saciedad, que les hubiera dado igual. Para ellos se trataba de un caso cerrado y zanjado: yo era una especie de monstruo que abusaba de los animales.

La tercera y más ofensiva de las acusaciones que se habían hecho contra mí era que estaba drogando a Bob. Gracias a Dios, lo había escuchado solo un par de veces. En vista de todo por lo que había pasado en los últimos diez años y la batalla que tuve que lidiar para terminar con mi adicción a la heroína, me resultaba el insulto más doloroso de todos. Lo encontraba realmente ofensivo.

Mientras observaba a la inspectora examinar a Bob, estuve casi seguro de que alguien había hecho llegar una, dos o incluso tres acusaciones a la Sociedad Protectora. Sin embargo, sabía que ella no me lo diría, al menos no hasta que completara su examen y redactara algún tipo de informe.

Sacó un dispositivo de leer microchips para comprobar que Bob llevaba el suyo, como así era, por supuesto. El dispositivo mostró mi nombre y dirección como dueño legal de Bob.

—Este es un buen comienzo —sonrió—. Te sorprendería saber cuántos dueños de gatos no le han puesto el microchip a sus mascotas, incluso hoy en día.

Entonces analizó su pelaje en busca de pulgas, echó un vistazo a sus dientes y comprobó su aliento, supongo que para ver si había algo malo en su hígado o, quizá, en sus riñones. También inspeccionó sus ojos para ver si estaban turbios. Eso me hizo preguntarme si no me habrían acusado de drogarle. La sangre me hervía solo de pensar que alguien hubiera dicho algo semejante a los de la Protectora.

No me molesté en seguir tocando mientras ella llevaba a cabo el examen. En su lugar, tuve que tranquilizar al pequeño grupo de personas que se había congregado y decirles que todo iba bien. Deseé que fuera verdad.

No paraba de darle vueltas a la situación, tratando de apartar todos esos pensamientos en un rincón de mi mente. Tenía que ser positivo, me decía. No había hecho nada malo.

Después de unos minutos, la mujer terminó con la inspección y empezó a hacerme preguntas.

—¿Algún problema de salud que hayas podido detectar, James? —me preguntó, su bolígrafo apoyado en el cuaderno.

—No —contesté. Me aseguré de informarle de que lo llevaba regularmente a la furgoneta de la Cruz Azul en Islington. Siempre me habían alabado por la forma en que lo cuidaba y por cómo lo mantenía en perfecto estado—. Nunca le han encontrado nada, así que supongo que está muy sano —añadí.

—Es bueno saberlo, James —repuso—. Así que dime, ¿cómo os conocisteis?

Le conté la historia y ella asintió y sonrió al oírla.

—Parece como si los dos estuvierais hechos para estar juntos —dijo riéndose.

Parecía muy satisfecha con todo, de hecho incluso levantó la vista y me mostró una sonrisa.

—Es un buen compañero, ¿no es cierto? Supongo que no tendrás un número de teléfono donde pueda localizarte —preguntó.

Mi viejo y desgastado Nokia aún seguía funcionando, por lo que le di el número.

—Está bien, por ahora me quedo contenta, pero tal vez necesite hacerte otra visita. ¿Estás aquí todos los días?

—Sí, por el momento prácticamente todos los días —contesté, sintiéndome incómodo.

—De acuerdo, ya te llamaré o me pasaré a verte pronto.

Le hizo una última caricia a Bob y desapareció entre la multitud.

Por un lado estaba contento de que se hubiera marchado sin mayores consecuencias. Mi mente había estado imaginando todo tipo de escenas. ¿Qué pasaría si encontraba algo que yo ignoraba relativo a su salud? ¿Y si me decía que tenía que llevarse a Bob? Para mí esa era la posibilidad más aterradora que podía concebir. Hubiera enfermado de angustia.

Pero mi alivio quedó ensombrecido por otras preocupaciones.

Sabía que los de la Sociedad Protectora tenían importantes poderes respecto a los dueños de mascotas, desde la posibilidad de confiscar tu mascota, a emprender un procedimiento legal contra cualquiera que fuera acusado de abusar de los animales. ¿Por qué me estaba haciendo este seguimiento? ¿Qué iba a decir a sus superiores? ¿Qué clase de informe iba a redactar? ¿Y qué pasaría si yo era procesado y, Dios no lo quiera, me quitaban a Bob? No podía evitar pensar en todas estas cosas, a pesar del poco control que tenía sobre la situación.

Me obligué a serenarme. Estaba volviéndome paranoico de nuevo. Eso no iba a suceder. No había razón para ello. Tenía que apartar esos malos pensamientos.

Esa noche, sin embargo, cuando me dirigía a casa, aún podía notar un nudo de ansiedad en mi estómago. Tenía la terrible sensación de que aquello iba a pesar sobre mí durante mucho tiempo.

Fue alrededor de una semana más tarde cuando la Inspectora de la Sociedad Protectora volvió a pasarse. Esta vez parecía estar en un plan mucho más amistoso y relajado. Bob respondió bien cuando ella se arrodilló y empezó a examinarle de nuevo.

Me sentía un poco más confiado y decidí charlar con ella.

Una vez más, tomó algunas notas y me hizo un par de preguntas sobre lo que habíamos estado haciendo esa semana y lo que teníamos planeado para los días siguientes.

Se sentó a observarnos interactuar juntos y con los transeúntes. Obviamente, los inspectores de la RSPA están entrenados para interpretar la conducta de los animales, por lo que pudo apreciar que Bob estaba muy contento de estar ahí y de hacer sus pequeñas proezas para su audiencia.

Después se marchó diciendo que se pondría en contacto conmigo muy pronto. Antes de alejarse, le hizo a Bob otra caricia amistosa, me tendió la mano y sonrió.

Continué tocando durante una hora o más, pero mi cabeza estaba en otra parte. Iba a empezar a recoger cuando vi un rostro familiar acercarse. Era la encargada de uno de los bloques de viviendas de Neal Street. Ya nos habíamos enfrentado antes a causa de estar tocando la guitarra a lo que, por alguna razón, ella se oponía. Venía con el rostro contraído por la rabia. Obviamente había estado observándonos desde la ventana y visto cómo la inspectora de la Protectora me daba la mano y se alejaba.

—La gente está intentando dormir allí arriba —declaró.

—Son las dos de la tarde —contesté genuinamente sorprendido

—Eso no importa —replicó tratándome como si fuera un niño de tres años—. No debería estar tocando aquí. ¿Es que no sabe leer los carteles? —espetó, señalando hacia una placa al otro lado de la calle en el lateral del edificio donde ella trabajaba.

—Pero yo no estoy tocando allí, estoy al otro lado de la calzada —expliqué—.Y tengo derecho a hacer lo que quiera. Los inspectores sociales e incluso la policía me lo han reconocido.

Pero una vez más, ella no estaba interesada en discutir conmigo. Solo quería vociferar y despotricar contra mí.

—Ya estoy harta de usted y de su maldito gato, voy a llamar a la policía para que le saquen de aquí —declaró, girando sobre sus talones y alejándose. Parecía aún más enfadada que cuando llegó.

Su argumento en realidad era ridículo. ¿Cómo demonios iba a molestar el sueño de la gente en mitad de la tarde?Yo no usaba amplificador, de modo que no podía decirse que emitiera un sonido ensordecedor.Y además, esa era una calle muy bulliciosa, con un montón de tráfico pasando a todas horas del día y de la noche. Si algo podía despertar a los residentes, era el constante estruendo de los camiones de reparto y furgonetas o de las sirenas de los coches de policía. Era una locura.

Sin embargo, y a pesar de lo dicho, sabía que hasta cierto punto tenía la ley de su lado. Había restricciones para los cantantes callejeros en la zona y tendría andarme con ojo. De modo que durante el resto de la tarde estuve muy pendiente por si veía aparecer a la policía.

Como no podía ser menos, aproximadamente media hora después de haber tenido el enfrentamiento con la señora, divisé una furgoneta de la policía aparecer por la calle a unos cuantos metros de nuestro puesto.

—No me gusta el aspecto que tiene esto, Bob —declaré, descolgándome la guitarra y recogiendo.

Cuando finalmente los policías se acercaron, ya estaba listo para marcharme.

—Tiene que moverse —dijeron.

—Sí, lo sé. Ya me iba —contesté.

El incidente me dejó indignado. Acabé convencido de que había sido esa señora la que había llamado a la Sociedad Protectora. Ahora que la táctica parecía haberle fallado, había cambiado de estrategia. Al parecer estaba dispuesta a llegar a donde hiciera falta con tal de echarnos de allí.

De vuelta en el apartamento esa tarde, la inspectora de la Sociedad Protectora me llamó al móvil y me dijo que no había absolutamente nada de lo que preocuparme.

—Bob es una criatura especial y estás haciendo un gran trabajo —declaró—. Mi consejo es que ignores a aquellos que te digan lo contrario.

Fue el consejo más sabio que me habían dado en mucho tiempo. Y, cosa inusual en mí, decidí hacerle caso.

CAPÍTULO 16

Doctor Bob

Cada vez me resultaba más difícil levantarme de la cama por las mañanas. Durante las últimas semanas había empezado a temer la visión del tardío sol de invierno cuyos rayos se filtraban a través de la ventana de mi dormitorio.

No era que no quisiera levantarme. Pero no dormía bien y normalmente me despertaba con las primeras luces del alba. Mis razones para querer permanecer escondido, inmóvil debajo de la colcha, eran muy diferentes. Sabía que en el momento en que me levantara, empezaría a toser de nuevo.

Había padecido problemas pulmonares durante algún tiempo, pero últimamente había empeorado ostensiblemente. Me decía que era porque siempre estaba en las calles, trabajando al aire libre.

Pero ahora, en cuanto me levantaba por la mañana, mis pulmones y mi pecho se llenaban de flemas y no podía dejar de toser de forma violenta. Incluso había momentos en que estaba tan incómodo que me doblaba de dolor, me daban arcadas, y vomitaba. No era nada agradable para mí —y para ser sincero, para nadie—. Los ruidos que hacía eran terribles. Me daba vergüenza estar en lugares públicos.

Estaba empezando a preocuparme seriamente. Llevaba fumando desde que tenía trece años, cuando aún vivía en Australia, y a lo largo de los años había inhalado muchas más cosas que el humo de unos simples cigarrillos. Además, una antigua novia de aquellos tiempos había muerto pocos años antes de tuberculosis después de fumar un montón de drogas. El recuerdo de verla tosiendo de forma incontrolable en sus últimos meses se me había quedado grabado. Había oído en alguna parte que la tuberculosis era contagiosa. ¿La habría contraído de ella? ¿Me estarían fallando los pulmones? Por mucho que lo intentara, no podía evitar que todo tipo de ideas macabras se me pasaran por la cabeza.

Había intentado librarme de la tos, recetándome a mí mismo medicamentos baratos del supermercado. Pero aquello no me había llevado a ningún lado. Había ido al médico, aunque en ese momento mi estado podía confundirse fácilmente con un catarro de temporada y me despidió sugiriendo que tomara un poco de paracetamol, que descansara y dejara de fumar. Tampoco así había conseguido demasiado.

Bob también advirtió que me encontraba mal y empezó a prestarme atención. Se enroscaba sobre mí como si tomara algún tipo de medidas. Yo había aprendido la lección del pasado y esta vez no le aparté de mi lado.

—Aquí viene el doctor Bob —bromeé un día.

No tenía ninguna duda de que intentaba realizar algún tipo de diagnóstico. Cuando me tendía en el sofá o en la cama, solía venir a tumbarse todo lo largo que es sobre mi pecho, ronroneando suavemente.

Había leído en alguna parte que los gatos tienen el poder de curar los huesos con su ronroneo. Al parecer, hay algo en la frecuencia con la que vibran que, de alguna forma, fortalece los huesos. Me pregunté si, a su manera, no estaría intentando curar la infección de mi pecho. Y, lo que era aún más preocupante, me pregunté si no sabría algo que yo desconocía.

De algún modo eso era lo más pavoroso de todo. Sabía lo intuitivos que pueden ser los gatos cuando se trata de reconocer la enfermedad en los humanos. Hay pruebas constatadas de que pueden predecir ataques epilépticos o de otro tipo, además de otras enfermedades. Había leído la historia de un gato en concreto, allá en Yorkshire, que enviaba a su dueño «extrañas miradas» antes de que a este le diera un ataque. Y luego estaba el famoso caso de un gato llamado Oscar que vivía en una residencia de ancianos en Norteamérica y se pegaba a los residentes que estaban en sus últimas horas. Nadie sabía con exactitud si es que era capaz de ver algo diferente o bien podía detectar el olor producido por los cambios bioquímicos en el cuerpo de una persona cuando va a morir. De lo que no cabía duda, sin embargo, era de que la habilidad de Oscar para anticipar el fallecimiento de la gente era extraña, hasta tal punto que los ancianos temían que se acercara a ellos. Era como si el gato fuese una especie de Ángel Exterminador. Confiaba en que no fuera el caso de Bob.

Al cabo de unos días volví a concertar otra cita, esta vez con un médico más joven que me había recomendado un amigo y que, según él, era muy bueno. Desde luego parecía bastante más simpático. Le conté lo de la tos y los vómitos.

—Será mejor que primero escuche sus pulmones —declaró. Después de examinarme con un estetoscopio me hizo una prueba para medir el flujo respiratorio máximo y así comprobar la potencia de mi respiración y pulmones. En su día había padecido asma infantil, por lo que sabía que mis pulmones no eran los más fuertes.

No hizo ningún comentario. Simplemente se sentó a tomar notas, tal vez demasiadas a mi modo de ver.

—Está bien, señor Bowen, quiero que se haga una radiografía de tórax —declaró finalmente.

—Oh, vale —respondí, empezando a preocuparme.

Entonces imprimió un volante y me lo tendió.

—Lleve esto al hospital de Homerton y ellos sabrán qué hacer —indicó.

Sabía que estaba poniendo cuidado con las palabras que escogía. Pero había algo en su cara que me pareció muy revelador. Y no me gustó un pelo.

Me llevé el volante a casa y lo dejé en el aparador de salón. Y luego, poco a poco, me fui olvidando de él. Una pequeña parte de mí se negaba a enfrentarse al problema. No hacía tanto tiempo que había tenido que ser hospitalizado por la TVP. ¿Qué pasaba si tenían que volver a ingresarme? ¿Y si era algo todavía peor? La verdad es que no me gustaban los hospitales.

Pero, sobre todo, ya había estado en el hospital de Homerton antes y sabía que era una auténtica pesadilla. Mi mente evocó uno de esos largos días esperando en una cola cada vez más frustrado. Me dije que no podía permitirme malgastar todo un día sin ganar dinero.

Por supuesto no eran más que débiles excusas. Lo cierto era que me aterraba pensar en lo que los rayos X podían encontrar. Me estaba comportando como una terca avestruz. Creía que si escondía mi cabeza en la arena y trataba de olvidarlo, la tos y los vómitos, junto al resto de incómodos síntomas, desaparecerían. Por supuesto no lo hicieron. Solo fueron a peor.

Un día en que fui a visitar a los editores, comprendí que había llegado al límite. Por fin había empezado a creer que el libro se iba a hacer realidad. Habían diseñado una portada en la que Bob aparecía sentado al estilo zen sobre mi mochila. En la contraportada salía una foto mía, mientras dentro podía leerse una breve nota sobre «el autor». Aún tenía que pellizcarme para convencerme de que estaba sucediendo. Lamentablemente, tuve un ataque de tos en mitad de la reunión. Empecé a sentir náuseas y noté que estaba a punto de vomitar. Así que me excusé para ir al lavabo y salí corriendo. Sin duda debieron de sospechar que algo no iba bien en mí y no podría culparles si lo hicieron. Después de todo, yo era un exdrogadicto en recuperación.

Imagino que no debió de causar buena impresión. No podía permitir que me pasara algo así en marzo. La publicación del libro estaba al caer y me habían dicho que tal vez tuviera que conceder algunas entrevistas a los medios, o incluso aparecer en televisión. También se habló de firmar libros y conocer a los lectores. Todo parecía bastante inverosímil, pero para estar seguro, decidí llegar hasta el final y hacerme la radiografía.

—No consigo encontrar la radiografía —declaró el médico, buscando en los archivos de su ordenador.

—No, eh, no fui a hacérmela. No tenía tiempo. De haber ido habría perdido el día entero —contesté, ligeramente avergonzado—. He estado escribiendo un libro.

—Está bien —declaró, mirándome con incredulidad y luego volviendo a teclear e imprimir otro volante.

—Este es para el servicio de urgencias. No hace falta pedir hora y no tendrá que esperar demasiado para que le atiendan.

—Vale —dije un tanto de mala gana.

Sabía que esta vez no podía desaprovecharlo.

Me dirigí al hospital de Homerton, o donde dos enfermeras me condujeron hasta una gran sala. Una vez allí, una de ellas me ordenó quitarme la camisa y quedarme de pie junto al aparato. Entonces deslizó una gran lámina metálica sobre mi pecho antes de retirarse detrás de la pantalla.

Una vez más me dejé llevar por la paranoia y el desconcierto cuando la vi escribir un montón de notas al terminar.

—¿Qué tal estaba? —le pregunté, tratando de sonsacar algún dato.

—Bien, pero enviaremos un informe completo a su médico. Debería llegarle en un par de días.

Su confianza me animó un poco, pero seguí siendo un manojo de nervios durante las siguientes setenta y dos horas.

Cuando acudí de nuevo al doctor me abatían los más negros presentimientos.

Tengo tendencia a pensar siempre lo peor, así que estaba preparado para escuchar algo terrible. Por eso me quedé bastante perplejo cuando el médico miró las notas adjuntas a la radiografía y declaró:

—Sus pulmones están limpios, señor Bowen.

—¿En serio? —pregunté aún sin creerlo.

—Sí. No hay ni una sola mancha negra, lo que es bastante notable en vista de lo que me contó sobre que llevaba fumando desde los trece años.

—De hecho —continuó—, yo diría incluso que sus pulmones están súper sanos.

—Entonces, ¿por qué cada vez que toso hecho las tripas? —pregunté confuso.

—Sospecho que tiene algún tipo de infección. Los análisis que le hemos hecho no muestran nada, pero creo que sus pulmones simplemente están tratando de expulsar toda la basura que han acumulado. Así que vamos a intentar tratar la infección —propuso, recetándome unos fuertes antibióticos.

—¿Y eso es todo? Antibióticos —exclamé aliviado pero un tanto asombrado al descubrir que era algo tan simple.

—Bueno, vamos a ver qué tal le van —repuso—. Si no, tendremos que continuar explorando.

Yo era muy escéptico. No podía ser tan sencillo, me decía. Pero lo era. En pocos días empecé a sentirme mucho mejor y la tos disminuyó.

Mi agente, Mary, había estado preocupada por mi salud y angustiada porque la promoción y la firma de libros, que se celebrarían en breve, resultaran una carga demasiado pesada. Me constaba que solo buscaba lo mejor para mí.

—Pareces estar mucho mejor —me dijo cuando nos citamos para charlar sobre la publicación del libro, para la que solo quedaban algunas semanas.

Sin embargo, no fue hasta que recibí otra opinión cuando se despejaron todas mis dudas.

Estaba tumbado en la cama leyendo un cómic. De pronto Bob apareció como salido de la nada y se subió en ella. Se deslizó hasta mí de la misma forma que había estado haciendo las últimas semanas, colocándose sobre mi pecho y ronroneando suavemente. Después de un momento o dos, apoyó su oreja en mi pecho, como si utilizara su estetoscopio felino, y se quedó ahí durante un momento, escuchando intensamente. Luego, tan rápido como había llegado, se marchó. Se levantó y se bajó de la cama en dirección a su radiador favorito. No pude evitar sonreír.

—Gracias, doctor Bob —dije.

CAPÍTULO 17

Instintos básicos

Dicen que marzo llega como un león y se marcha como un cordero. El mes apenas estaba empezando pero el tiempo ya hacía honor a su reputación. Había días en los que el viento que soplaba por los callejones del Soho y del West End hacía un ruido tan áspero y fuerte que podría fácilmente confundirse con el rugido de un león. Algunos días tenía que esforzarme para sentir las yemas de mis dedos cuando tocaba la guitarra. Afortunadamente, Bob estaba mejor abrigado que yo.

Incluso ahora, con la primavera a la vuelta de la esquina, aún lucía su lujoso abrigo de invierno. Y, además, su barriga arrastraba algo del peso extra acumulado durante las Navidades, por lo que el frío no parecía incomodarle lo más mínimo.

Bob y yo echábamos de menos Angel, pero para ser sincero, disfrutábamos más de la vida en Covent Garden.

Nos habíamos convertido en una pareja de cómicos y, de algún modo, parecíamos estar más en casa entre los malabaristas, los tragafuegos, las estatuas humanas y otros animadores callejeros que rondaban por la Piazza y las calles circundantes. Era, por supuesto, un lugar muy competitivo, de modo que, en cuanto nos acomodamos a la rutina diaria del centro de Londres, empezamos a pulir nuestra actuación.

Algunas veces yo tocaba la guitarra mientras me sentaba con las piernas cruzadas sobre la acera con Bob. A él le gustaba mucho y se acurrucaba frente a la caja de mi guitarra, al igual que había hecho durante nuestros primeros días juntos, años atrás. Luego chocábamos nuestras manos y él se ponía sobre dos patas para atrapar sus galletas. También teníamos un número nuevo.

Había surgido un día en el apartamento mientras él jugaba con Belle. Como de costumbre, Bob estaba zarandeando de un lado a otro su viejo y sobado ratón de trapo. Belle intentó quitárselo para poder darle un buen lavado.

—Solo Dios sabe los gérmenes que contendrá, Bob —le oí decirle—. Necesita un buen fregado.

Lógicamente él se negaba a soltar su precioso juguete. Siempre lo hacía. Así que ella le ofreció una galleta. Tener que elegir entre las dos cosas fue un auténtico dilema, y vaciló durante algunos segundos antes de decidirse por la galleta. Soltó el ratón de sus mandíbulas lo suficiente como para recibir la recompensa —y para que Belle pudiera quitarle el ratón delante de sus narices.

—Bien hecho, Bob —le dijo a continuación—. Choca esos cinco —indicó, alzando la palma de su mano en vertical como cualquier jugador de fútbol o baloncesto americano, invitando a sus compañeros a celebrar un tanto.

Yo estaba sentado cerca y le vi alzar su pata para tocar la suya en reconocimiento.

—Eso ha estado muy bien —me reí—. Te apuesto lo que quieras a que no consigues que lo repita.

—Yo te apuesto a que sí —replicó Belle, antes de conseguir repetir exactamente el gesto.

Desde entonces, Bob asocia ese saludo con recibir un premio. Y en Neal Street la gracia había conseguido atraer a toda clase de admiradores, incluyendo a algunos muy famosos.

Un sábado por la tarde, alrededor de las cuatro, un par de niñas pequeñas se detuvieron para admirar a Bob. Debían de tener unos nueve o diez años e iban acompañadas por un pequeño grupo de adultos, incluyendo una pareja de enormes tipos con aspecto de gorilas, con gafas oscuras. A juzgar por la forma en que parecían vigilar ansiosos la escena mientras las niñas acariciaban a Bob, debían de ser guardaespaldas.

—Papá, mira esto —dijo una de las niñas muy excitada.

—Ah, sí. Es un gato muy chulo —contestó una voz.

Me quedé petrificado. Reconocí la voz de inmediato.

—No puede ser —dije. Pero lo era.

Volví la cabeza y encontré justo detrás de mí la inconfundible figura de *sir* Paul McCartney.

Nunca hubiera imaginado que uno de los nombres más importantes de la música popular de todos los tiempos pudiera mezclarse con un humilde cantante callejero. Después de todo, él estaba en una liga muy distinta a la mía cuando se trataba de crear una melodía. Pero parecía encantador.

Yo había colocado una primera edición de mi libro a mi lado, en el suelo, y le vi fijarse en ella. También llevaba un buen fajo de prospectos anunciando la primera firma de libros prevista por los editores y que tendría lugar en apenas tres días.

El evento iba a marcar el principio —y probablemente el final— de mi carrera como escritor. Yo me sentía ya muy inquieto, por lo que entregaba frenéticamente los prospectos a todo aquel que mostraba algún interés con la esperanza de, al menos, evitar la vergüenza de estar sentada en una librería vacía la semana siguiente. Estaba convencido de que si rebuscaba un poco en las papeleras de Covent Garden encontraría allí tirados la mayoría de los folletos.

Dentro de mi cabeza una pequeña vocecilla estaba diciendo: «Vamos, adelante, dale uno».

—Eh, esto..., he escrito un libro sobre Bob y yo —empecé, señalando hacia mi compañero pelirrojo sentado a mis pies—. La semana que viene voy a firmar ejemplares, si le apetece venir —dije, tendiéndole un prospecto.

Para mi sorpresa, lo cogió.

—Le echaré un vistazo —declaró.

Para entonces se había congregado una buena multitud a nuestro alrededor y sus gorilas empezaban a ponerse nerviosos. La gente no paraba de hacer fotos con sus cámaras. Por una vez, no era a Bob al que fotografiaban.

—Más vale que nos movamos —dijo la mujer que le acompañaba. Ahora ya había deducido de quién se trataba. Era la nueva mujer de *sir* Paul, Nancy Shevell, con la que se había casado ese otoño. Parecía muy simpática.

—Cuídate mucho, hombre, y continúa así —dijo *sir* Paul mientras deslizaba su brazo en el de ella y se alejaba rápidamente con su séquito.

Cuando se marchó me quedé durante algunos minutos aturdido. O quizás sería más exacto decir deslumbrado. Permanecí en Neal Street alrededor de una hora más o menos y volví a casa como flotando en una nube.

No había ni la más remota posibilidad de que *sir* Paul McCartney viniera a mi firma de libros. ¿Por qué iba a hacerlo? Nadie más iba a pasarse por ahí, me dije. Pero todo eso no importaba demasiado. Aunque no consiguiera nada más y solo vendiera cinco ejemplares, el libro ya me había permitido algo que creía imposible. Había hablado con un miembro de Los Beatles.

Últimamente Bob atraía tanta atención que era frecuente que estuviéramos rodeados por pequeñas multitudes. El lunes siguiente por la tarde, después de encontrarnos con los McCartney, una docena de estudiantes que hablaban español nos rodearon en la acera, fotografiándonos con sus cámaras y teléfonos. Siempre me había gustado conocer gente nueva. Era parte del encanto de lo que hacíamos. Pero eso podría distraerte y, dada la naturaleza de la vida en las calles, distraerse nunca era buena idea.

Cuando la multitud se dispersó y se marchó en dirección a Covent Garden, me senté en la acera y le di a Bob un par de galletas. Con la luz del sol empezando a desaparecer, el frío se hacía de nuevo patente. Al día siguiente era la firma de ejemplares del libro en Islington. Quería acostarme temprano, aunque sabía que no sería capaz de dormir mucho. Además tampoco quería que Bob siguiera tanto tiempo a la intemperie. Cuando le acaricié, advertí de inmediato por su lenguaje corporal que estaba a la defensiva. Tenía el lomo arqueado y su cuerpo estaba rígido. No parecía demasiado interesado en la comida, lo que significaba que algo no iba bien. En cambio, sus ojos estaban fijos en algo que había en la distancia. En algo —o alguien— que claramente le inquietaba.

Miré al otro lado de la calle y vi a un tipo de aspecto peligroso que estaba sentado mirándonos fijamente.

Vivir en las calles te hace desarrollar un instintivo radar en lo referente a las personas. Soy capaz de distinguir casi al instante una manzana podrida, y ese tipo parecía podrido hasta la médula. Era un poco mayor que yo, probablemente cercano a los cuarenta. Llevaba unos ajados pantalones vaqueros y una chaqueta a juego. Estaba sentado sobre la acera con las piernas cruzadas, liándose un cigarrillo y bebiendo de una lata extra larga de cerveza barata. Resultaba evidente lo que estaba mirando —y cuál era su intención—. Trataba de planear cómo quitarme mi dinero.

Durante los últimos minutos, la mayoría de los estudiantes españoles y algunas otras personas habían dejado caer monedas en la funda de mi guitarra. Y un tipo de color de aspecto elegante me había echado un billete de cinco libras. Probablemente habíamos reunido en esa media hora alrededor de veinte libras. Yo sabía que no era conveniente dejar tanto dinero a la vista, por lo que había recogido la mayoría de las monedas, guardándolas en mi mochila. Él, obviamente, había debido verlo.

Sin embargo no estaba dispuesto a enfrentarme con él. Mientras se mantuviera a distancia no había necesidad. Yo mismo sabía lo que era estar en su pellejo y lo desesperado que uno puede llegar a sentirse. Podía percibir que era problemático, pero en tanto no lo demostrara le concedería el beneficio de la duda. «Deja que tire la primera piedra y todo eso», me dije.

Sin embargo, y solo para asegurarme, miré hacia donde estaba y asentí, como diciendo: «Te he visto, y sé lo que estás pensando. Así que olvídate».

La gente de las calles hablamos el mismo lenguaje. Podemos transmitir casi un centenar de palabras con una simple mirada o un gesto, por lo que él me entendió inmediatamente. Se limitó a gruñir, poniéndose en pie y largándose. Sabía que le tenía calado y eso no le gustaba. Casi enseguida desapareció en dirección a Shaftesbury Avenue, probablemente para acechar a otro. En el instante en que el tipo desapareció doblando la esquina, el lenguaje corporal de Bob se relajó y recuperó el interés por las galletas.

—No te preocupes, colega —le dije, deslizando una golosina en su boca—. Ya se ha marchado. No volveremos a verlo.

La calle estaba especialmente bulliciosa ese día y pronto sacamos lo suficiente para poder comprar comida en el supermercado para los dos y tirar un par de días. Cuando empecé a recoger, Bob no necesitó que se lo dijera dos veces para saltar a mis hombros. Estaba refrescando por segundos.

Sabía que antes de coger el autobús, Bob querría hacer sus necesidades, así que nos dirigimos a su lugar de costumbre delante de las pijas oficinas de Endell Street.

Para llegar hasta allí, teníamos que atravesar una de las callejuelas más estrechas y peor iluminadas de la zona. Al hacerlo el mundo pareció sumirse en el silencio. Londres a veces puede ser así. Un minuto antes todo está lleno a reventar y, al siguiente, se ve desierto. Era parte de las muchas contradicciones de la ciudad.

Había recorrido la mitad de la callejuela, cuando sentí que Bob se movía en mi hombro. Al principio pensé que se moría de ganas de hacer sus cosas.

—Aguanta un segundo más, colega —le dije—. Ya casi hemos llegado.

Pero pronto comprendí que estaba recolocándose y, algo inusual en él, se había dado la vuelta para mirar hacia atrás en lugar de adelante.

—¿Qué pasa, Bob? —pregunté, girándome.

Miré hacia el fondo de la calle. Había un tipo cerrando su taberna después de la jornada y eso era todo. No vi nada más. La costa parecía despejada.

Sin embargo, Bob no estaba tan convencido. Definitivamente algo le inquietaba.

Apenas había dado una docena de pasos cuando, de repente, emitió el ruido más agudo que le había visto hacer nunca. Era como un grito primitivo, un punzante *miauuuu* seguido por un realmente atronador bufido. Al mismo tiempo sentí un tirón en mi mochila y luego un grito tremendo, esta vez procedente de un humano.

Me di la vuelta para ver al tipo que había estado observándonos antes en Neal Street. Estaba doblado hacia delante, agarrándose la mano. Pude verle el dorso y distinguí un montón de arañazos. La sangre manaba de sus heridas.

Era obvio lo que había sucedido. Había intentado apoderarse de mi mochila, pero Bob debió de deslizarse por mi espalda, sacando sus garras. Las había clavado con fuerza en las manos del tipo, desgarrándole la piel. Él aún seguía preparado para la pelea. Bob permanecía en mi hombro, gruñendo y siseando.

Pero el tipo no había acabado. Se abalanzó sobre mí con sus puños en alto, aunque conseguí esquivarle. No era fácil hacer algo con Bob balanceándose sobre mi hombro, pero aun así le solté una patada directa a su pierna. Llevaba mis pesadas botas Dr. Martens que consiguieron el efecto deseado, haciéndole caer de rodillas durante un segundo.

Sin embargo se puso en pie rápidamente. Durante un momento estuvimos gritándonos el uno al otro.

—Jo★★★★ gato, mira lo que le ha hecho a mi jo★★★★ mano —espetó, ondeando su mano ensangrentada hacia mí en la penumbra.

—Te está bien empleado por intentar robarme —le increpé.

—Si vuelvo a cruzarme con ese jo★★★★ gato, juro que le mato —declaró señalando a Bob. Hubo otro breve momento de suspense mientras el tipo miraba alrededor. Encontró un pequeño trozo de madera que blandió contra mí un par de veces. Bob estaba chillando y bufando más animado que nunca. El tipo dio un paso hacia nosotros con el trozo de madera en ristre, pero entonces se lo pensó mejor y lo dejó caer a un lado. Después de soltar otra sarta de improperios, se dio la vuelta y desapareció dando tumbos en la penumbra, todavía sujetándose la mano.

En el autobús de vuelta a casa, Bob se sentó en mi regazo. Iba ronroneando sin parar mientras escondía su cara bajo mi brazo, como hacía a menudo cuando él —o yo— nos sentíamos vulnerables. Supongo que ambos teníamos esa sensación después de nuestro encuentro, pero, por supuesto, no podía estar seguro.

Esa era la alegría y la frustración de tener un gato. «Los gatos son misteriosas criaturas, por sus mentes pasan muchas más cosas de las que nos damos cuenta», escribió *sir* Walter Scott. Y Bob era aún más misterioso que la mayoría. En muchos sentidos, eso formaba parte de su magia, de lo que le hacía ser un compañero tan extraordinario. Habíamos pasado muchas cosas juntos y, aun así, seguía teniendo la habilidad de asombrarme y sorprenderme. Esa noche había vuelto a hacerlo.

A lo largo de los años habíamos tenido nuestra buena cuota de enfrentamientos, pero nunca nos habían atacado así. Ni tampoco le había visto reaccionar y defenderme de esa manera. Yo no supe ver la amenaza que ese tipo suponía, pero Bob sí.

¿Cómo habría sabido que el tipo no era de fiar desde el segundo en que puso sus ojos en él? Yo podía interpretar las señales desde una perspectiva humana, pero ¿cómo lo sabía él? ¿Y cómo había detectado su presencia mientras nos alejábamos de Neal Street? Yo no había visto ni rastro del tío. ¿Acaso Bob había vislumbrado algo oculto en el callejón? ¿Lo habría olfateado?

No podía saberlo. Simplemente tenía que aceptar que Bob poseía habilidades e instintos que estaban más allá de mi comprensión —y que probablemente sería siempre así.

Esa era la parte frustrante. A veces era una compañía muy estimulante, pero también un enigma. Nunca sabía con certeza lo que pasaba realmente por su cabeza. Desde luego éramos los mejores amigos. Y había un vínculo casi telepático entre nosotros. Sabíamos, instintivamente, lo que el otro estaba pensando en determinados momentos. Pero ese entendimiento no llegaba hasta el punto de poder compartir nuestros pensamientos más profundos. De hecho, no podíamos decirnos el uno al otro lo que sentíamos. Por estúpido que parezca, eso a menudo me hacía sentir triste; y es lo que me pasó en aquel momento.

Mientras el autobús se abría paso entre el tráfico de Londres, y yo lo estrechaba fuertemente contra mí, sentí la abrumadora necesidad de saber qué emociones habría sentido en aquel callejón. ¿Se habría asustado o habían resucitado en él sus instintos más básicos? ¿O simplemente había percibido la necesidad de defenderse —y también a mí— y pasar a la acción? ¿Se había enfrentado a ello en el momento y, en consecuencia, ya lo había olvidado? ¿O estaría pensando lo mismo que yo? «Estoy harto de esta vida. Estoy cansado de tener que mirar siempre a mis espaldas. Quiero vivir en un mundo más seguro, más amable y más feliz».

Creía tener la respuesta. Por supuesto, prefería no pelear con esa gentuza en las calles. Y, desde luego, prefería estar sentado en algún lugar calentito y no en la gélida acera. ¿Qué criatura no lo haría?

Mientras mi mente divagaba, rebusqué en mi bolsillo y saqué un arrugado folleto. Era uno de los pocos que me quedaban. El resto los había repartido. En él aparecía una foto mía con Bob en los hombros y debajo podía leerse:

**Ven a conocer a
James Bowen y al gato Bob.
James Bowen y Bob estarán firmando ejemplares
de su nuevo libro
UN GATO CALLEJERO LLAMADO BOB
en Waterstones, Islington Green, Londres,
el martes 13 de marzo de 2012, a las seis de la tarde.**

Bob lo miró y ladeó la cabeza ligeramente. Era, una vez más, como si reconociera la imagen de nosotros dos.

Me quedé mirando el trozo de papel durante lo que debieron de ser varios minutos, perdido en mis pensamientos.

Llevaba haciéndome las mismas preguntas durante mucho tiempo. Y, a decir verdad, estaba un poco harto de ellas. Pero esa noche habían vuelto a primera línea. ¿Cuántas veces más iba a tener que poner a Bob y a mí mismo en la línea de fuego? ¿Conseguiría alguna vez romper ese ciclo y salir de las calles?

Traté de alisar lo más posible el prospecto y lo doblé, guardándolo en mi bolsillo.

—Espero que esto sea la respuesta, Bob —dije—. Lo espero de corazón.

CAPÍTULO 18

Esperando a Bob

No eran ni las nueve de la mañana y ya tenía el estómago dando vueltas como una hormigonera.

Me hice unas tostadas, pero no pude ni tocarlas por miedo a ponerme malo de verdad. Si ya me sentía así ahora, ¿cómo demonios iba a estar dentro de nueve horas?, me pregunté.

Los editores habían organizado la firma de libros pensando que sería una buena oportunidad de generar un poco de publicidad en Londres y, tal vez, atraer a unas cuantas personas a comprar un ejemplar o dos. Además de haber repartido folletos en Covent Garden también me había desplazado hasta Angel un par de veces. Gracias a Dios, todavía teníamos amigos allí.

La librería Waterstones en Islington había sido obviamente el escenario elegido. El local formaba parte de mi historia en más de un sentido. No solo la mitad de su plantilla nos había ayudado cuando no teníamos dónde ir un año atrás, sino que también aparecían en uno de los capítulos más dramáticos del libro. Un día entre semana, había irrumpido por su puerta desesperado y llevado por el pánico cuando Bob salió corriendo después de que un perro muy agresivo le asustara delante de la estación de metro de Angel.

En los días previos a la firma, no solo había tenido que conceder entrevistas a más periódicos sino también a la radio y la televisión. Para ayudarme a desenvolverme con soltura, me habían enviado a ver a un especialista en medios de comunicación en el centro de Londres. Era un tanto intimidante. Tenía que sentarme en una habitación a prueba de ruidos donde me grababan la voz para que un experto la analizara. Sin embargo, el especialista había sido muy amable conmigo y me había enseñado algunos trucos del oficio. Durante una de las primeras grabaciones, por ejemplo, cometí el clásico error de juguetear con un bolígrafo mientras hablaba. Cuando reprodujeron la grabación, lo único que se oía era el sonido del bolígrafo golpeteando contra la mesa, como un batería de *rock* maníaco. Era muy molesto y distraía un montón.

El entrenador me preparó para contestar la clase de preguntas que debía esperar. Pronosticó, con bastante razón, que la mayoría de la gente querría saber cómo había acabado en las calles, cómo Bob me había ayudado a cambiar mi vida y qué futuro nos esperaba. También me preparó para responder sobre si estaba totalmente rehabilitado de las drogas, lo que afortunadamente así era. Sentía que no tenía nada que ocultar.

Los artículos que aparecieron en los periódicos y en los blogs eran generalmente positivos. Un periodista del *London Evening Stardard* escribió cosas encantadoras sobre Bob como que «había cautivado a Londres como ningún felino lo había hecho desde los tiempos de Dick Whittington». Aunque también me disgustó un poco cuando mencionó «los rotos de mis vaqueros y mis dientes y uñas ennegrecidos». También me describió como «alguien que había adoptado el tono compungido de una persona acostumbrada a ser ignorada». Me habían advertido para esperar ese tipo de cosas; todo iba en el mismo paquete puesto que, en definitiva, yo era «mercancía dañada», como ese mismo periodista me había llamado. Algo que no resultaba muy agradable.

La firma de libros había sido programada para dos días después de la fecha de publicación del libro, el 15 de marzo, que casualmente coincidía con mi treinta y tres cumpleaños.

Confié en que eso no gafara todo lo demás. Los cumpleaños no habían sido precisamente un motivo de celebración en mi vida, y menos desde que era adolescente.

Había pasado mi decimotercer cumpleaños en un pabellón infantil en el Princess Margaret Hospital en Australia Occidental. Había sido una etapa penosa en mi joven vida, que solo había contribuido a acelerar mi caída en picado. No mucho después, empecé a esnifar pegamento y a experimentar con la marihuana. Fue el comienzo de mi largo descenso a la drogadicción.

Y si echaba la vista atrás diez años, a mi veintitrés cumpleaños, cuando estaba en las calles, podría haber estado en un albergue, pero también fácilmente durmiendo a la intemperie en cualquier callejón alrededor de Charing Cross. En aquel momento mi vida era un pozo oscuro del que apenas tenía recuerdos. Los días, semanas, meses y años se confundían unos con otros. Lo más normal es que, de haber sido consciente que era mi cumpleaños, hubiera pasado el día intentando mendigar, pedir prestado o, casi seguro, robando dinero para poder meterme un chute extra de heroína. Probablemente habría seguido el mismo juego temerario que había practicado más de cien veces con anterioridad, arriesgándome a sufrir una sobredosis por meterme un chute extra. Podría fácilmente haber acabado como el tipo que había visto en el descansillo de mi edificio.

Ahora, diez años después, mi vida había dado un giro positivo. Aquel periodo parecía pertenecer a otra vida y otro mundo. Cuando miraba atrás, me resultaba difícil creer que hubiera vivido esa época. Pero, para bien o para mal, siempre formaría parte de mí. Era, ciertamente, una parte importante del libro. Había decidido no edulcorar mi historia. Todo estaba virtualmente en ella, con todas sus imperfecciones, lo que era otra de las razones por las que me sentía atacado de los nervios.

En las horas previas a la firma, iba a ser filmado y retratado por un fotógrafo y un cámara de la agencia internacional de noticias Reuters. Querían sacar una serie de fotos de Bob y de mí durante un día normal de nuestra vida, viajando en el metro y tocando con la guitarra en Neal Street. Me alegré mucho de la distracción. Para cuando terminé con el fotógrafo, era ya la primera hora de la tarde.

Un sudor frío empezó a descender por mi espalda cuando nos acercamos a Islington y recorrimos el familiar trayecto hasta la estación de metro de Angel. No había señales del tipo que se había «apoderado» de mi puesto frente a la estación. Uno de los vendedores del quiosco de flores me contó que él y su perro habían causado toda clase de problemas hasta acabar expulsados del puesto por los coordinadores. Ahora ya no había nadie de *The Big Issue* vendiendo revistas en Angel.

—Qué desperdicio —declaré—.Yo había conseguido que ese puesto fuera un lugar donde alguien podría sacar un buen dinero —pero eso ya no era de mi incumbencia. Ahora tenía otras cosas de las que preocuparme.

Bob y yo nos encaminamos a través de la zona ajardinada del monumento memorial de Islington en dirección a Waterstones. Llegábamos pronto, así que dejé que Bob hiciera sus necesidades y me senté en un banco a fumarme un cigarrillo tranquilo. Una parte de mí se sentía como un hombre condenado, disfrutando de un último y fugaz momento de placer antes de enfrentarse al pelotón de fusilamiento. Pero otra parte estaba expectante. Era como si estuviera al borde de un nuevo comienzo de mi vida; como si, a falta de una definición mejor, un nuevo capítulo de mi vida fuera a comenzar.

Estaba más intranquilo que nunca. Un montón de pensamientos sombríos luchaban por abrirse paso en mi mente. ¿Y si no aparecía nadie? ¿Y si venía un montón de gente que pensaba que el libro era una basura? ¿Cómo reaccionaría Bob ante una multitud? ¿Cómo reaccionaría la gente conmigo? Yo no era el típico autor. No era un brillante personaje público. Era un tío que aún vivía en los límites de la sociedad. O al menos, así es como lo sentía. Sabía que la gente adoraría a Bob, pero me aterrorizaba que pudieran detestarme.

Apuré el cigarrillo hasta el final, haciéndolo durar lo máximo posible. Los nervios parecían haberse solidificado dentro de mí, hasta el punto de que notaba como si alguien me hubiera golpeado fuertemente en el estómago.

Afortunadamente Bob parecía animado por los dos. Pasó un par de minutos merodeando por su sitio favorito y luego regresó a mi lado y me lanzó una mirada como diciendo: «Todo va bien, colega, todo va bien».

Era sorprendente lo mucho que conseguía calmarme.

Al llegar a la librería con media hora de adelanto sobre el comienzo de la firma, vi a cuatro o cinco personas haciendo cola en la puerta. «Ah, qué bien que al menos alguien se ha decidido a venir», me dije aliviado. Todos nos sonrieron y yo les saludé con gesto avergonzado. Aún no podía creer que la gente gastara una hora de su tiempo para venir a conocernos. Había unas cuantas personas más dentro de la tienda. Todas haciendo cola para pagar y sujetando su ejemplar del libro.

Alan, el gerente, me invitó a subir a la sala de empleados y esperar allí hasta que empezara el evento.

—Podrás tomar un vaso de vino y Bob un platito con leche. Así te relajarás un momento antes de que llegue la hora de bajar —declaró, advirtiendo mi nerviosismo.

Dudé si mantener la cabeza despejada o tomar una copa para infundirme valor. Decidí hacer lo primero. Ya tomaría el vaso de vino después.

Belle, Mary, Garry y un puñado de gente de la editorial estaban allí para desearme suerte. También había una pila de libros que tenía que firmar para la librería. A alguien se le había ocurrido la brillante idea de hacer un sello con la forma de la huella de un gato para que Bob también pudiera «firmar» los ejemplares. Me puse a la tarea, firmando los primeros libros. Belle añadía el toque final estampando el sello con la huella. Había al menos dos docenas de libros en la pila. ¿Estaban seguros de que venderían tantos?

El personal de la librería parecía convencido. En un momento dado una de las dependientas apareció radiante.

—Ya ocupa toda la manzana —declaró sonriente.

—¿El qué? —pregunté estúpidamente.

—La cola. Se está extendiendo hasta la vuelta de la esquina. Probablemente haya cien personas y cada vez están llegando más.

Me quedé sin habla. No creía que fuera posible sentirse aún más ansioso, pero de alguna forma me ocurrió. Había cerca de mí una ventana. Por un segundo pensé en saltar por ella y bajar por el canalón hasta la calle en una huida precipitada.

Cuando las agujas del reloj se acercaron a las seis, Bob trepó a mi hombro y nos dirigimos a la planta baja de la librería. En el descansillo del primer tramo de escaleras, me agaché para echar un vistazo a la tienda. El corazón se me subió a la garganta. Estaba abarrotada de gente.

Habían dispuesto una mesa con varias pilas de libros para Bob y para mí. La cola de personas se extendía a lo largo de las estanterías hasta las puertas y más allá, perdiéndose en la oscuridad de la tarde de marzo. Tenían razón. Debía de haber un centenar de personas o más. Al otro lado de la tienda, en una cola separada, había gente comprando el libro. Incluso vi a un grupo de fotógrafos y cámaras de televisión.

Parecía algo surrealista, una experiencia extra corporal. Hasta ahora habíamos estado ocultos a la vista, pero cuando emprendimos el tramo final de escaleras, las cámaras empezaron a enfocar y los fotógrafos a gritarnos.

—Bob, Bob, aquí, Bob.

Incluso hubo una salva de aplausos y unos cuantos vítores.

Mis años en la calle con Bob me habían enseñado a esperar lo inesperado. Habíamos aprendido a adaptarnos, a lidiar con los golpes, a veces literalmente. Esta vez, sin embargo, tenía la impresión de entrar en un territorio completamente inexplorado.

Pero algo estaba claro. Habíamos llegado demasiado lejos para dejar pasar esta oportunidad. Si la cogíamos, tal vez, solo tal vez, nuestro tiempo en las calles podría estar llegando a su fin. Y, quizá, un nuevo capítulo se abriría ante nosotros.

—Vamos, Bob —susurré, acariciando la parte de atrás de su cuello antes de inspirar profundamente una última vez—. Ya no hay vuelta atrás.

Siempre

Esa noche de marzo de 2012 fue probablemente la más importante de mi vida. Después de aquello ya no hubo más dudas. Realmente fue un nuevo comienzo para Bob y para mí. La firma de libros en Islington supuso un éxito más allá de todas mis expectativas. Paul McCartney no apareció, pero más de trescientas personas lo hicieron. La multitud que deseaba conocernos pilló a todo el mundo por sorpresa, incluso a la librería, que en cosa de media hora, se quedó sin los aproximadamente doscientos ejemplares que tenían.

—Creo que hemos superado con creces mis expectativas de vender tan solo media docena —bromeé con Alan, el gerente de la tienda, cuando finalmente pude compartir un vaso de vino con él después de tres horas de firmas y entrevistas.

Nadie fue capaz de deducir cómo habíamos atraído a semejante multitud. Obviamente los folletos y la publicidad habían jugado un papel importante. Además habíamos abierto una cuenta en Twitter que había sumado alrededor de un centenar de seguidores, pero ni siquiera eso podía explicar la pasión con la que la gente nos acogió a Bob y a mí.

Fue la primera señal de que algo increíble iba a suceder.

Cuando *Un gato callejero llamado Bob* salió a la venta en todos los comercios dos días más tarde, pareció despertar una reacción inmediata y se convirtió en lo que *The Times* describió como «un fulminante éxito de ventas para una biografía». Entró en la lista de los más vendidos en Inglaterra en la primera semana de su publicación —y continuó en ella durante gran parte del año, la mayoría del tiempo como número uno—. Cada domingo, solía hojear el periódico y mirar la última clasificación, sacudiendo sorprendido la cabeza. ¿Por qué era tan popular? ¿Por qué había cautivado el corazón de la gente? Después de un tiempo renuncié a entenderlo. Pero lo que fue aún más milagroso es que el libro también encontró un público en el extranjero. De acuerdo con las informaciones más recientes, iba a ser traducido a veintiséis idiomas. En Italia se llamaría *A spasso con Bob (Un paseo con Bob)*. En Portugal se tradujo como *Minha história con Bob (Mi historia con Bob)*. Parecía tener un atractivo universal. Cualquiera que fuese el idioma, la gente parecía adorar la historia y, sobre todo, y como no podía ser menos, adorar a Bob.

En consecuencia, Bob y yo nos convertimos a todos los efectos en pequeñas celebridades, apareciendo en televisión y en programas de radio para hablar del libro y de su popularidad. No era algo para lo que estuviese preparado, a pesar de haber empleado una tarde con el especialista en medios. Nuestra primera gran aparición fue en el programa matinal de la BBC. Llegué a los estudios del oeste de Londres poco después del alba hecho un manojo de nervios. Me aterrorizaba que Bob pudiera asustarse con los focos o en un entorno desconocido y extraño. Pero pareció llevarlo bien, sentándose tranquilamente en el sofá a observar los monitores que había delante de él. Naturalmente se convirtió en la estrella del programa, e incluso fue capaz de repetir varias veces nuestro truco de entrechocar las manos en beneficio de los presentadores, que parecían estar tan encandilados por él como todo el mundo. Y lo mismo sucedió cuando hicimos otras apariciones.

Cada vez que nos entrevistaban me hacían las mismas preguntas. En concreto, la gente quería saber cómo estaba cambiando nuestras vidas el éxito del libro.

El cambio más evidente y significativo fue que Bob y yo ya no teníamos que salir cada día a actuar en las calles. Aún tardamos algún tiempo en empezar a recibir las primeras ganancias del libro, por lo que durante unos meses continuamos tocando en Neal Street. Sin embargo, poco a poco, pudimos ir espaciando nuestras apariciones. Fue un alivio enorme despertar cada mañana sabiendo que no tendríamos que hacer frente al frío y a la lluvia y que ya no necesitaría experimentar esa sensación de incertidumbre y callada desesperación que sentía cada día cuando me ponía en camino para instalarme en Angel o en Covent Garden.

Por supuesto, una pequeña parte de nosotros siempre permanecería allí. Puedes sacar a un cantante callejero de las calles… y Bob siempre había disfrutado con la atención que recibía de sus admiradores. De modo que continuamos haciendo apariciones ocasionales, con la única diferencia de que ahora lo hacíamos para ayudar a otras personas más que a nosotros mismos.

A comienzos de 2013, por ejemplo, comenzamos una colaboración con la institución protectora de animales, la Cruz Azul. Empezamos a recolectar dinero para ellos tanto a través de Internet como en apariciones públicas y, en los días en que, ocasionalmente, tocábamos en la calle. Conseguimos reunir alrededor de cinco mil libras en la primera semana. Era una sensación increíble poder compensarles con algo. Habían sido tan amables conmigo en los primeros días tras encontrar a Bob y más tarde, a lo largo de los años, atendiéndonos cuando aparecíamos por su clínica ambulante de Islington Green... Eso me hacía recordar cómo a menudo pensaba que Bob era mi recompensa por algún acto caritativo que había debido de realizar en una vida anterior. Sentía como si fuera el karma. Y al asociarnos con la Cruz Azul, me hacía sentir que, de algún modo, estaba devolviéndoles su generosidad, y realizando otro acto de karma. Tengo la intención de hacer algo parecido para las organizaciones que se ocupan de los sin techo en un futuro cercano.

Por supuesto la gente también me preguntaba si el libro me había hecho rico. La respuesta era sí y no. Comparado con mi anterior situación financiera, ahora, sin lugar a dudas, esta era mucho más holgada. Pero no me había convertido en millonario de la noche a la mañana. Lo importante era que, en un futuro inmediato, al menos, sabía que no iba a tener que limitarme a rebuscar en las estanterías de los supermercados las latas de oferta o cuya fecha de caducidad hubiera prescrito. Durante años había tenido que subsistir gracias a mi ingenio o a algunas ayudas del Estado. Ahora, por primera vez en muchos años, tenía una cuenta bancaria e incluso un contable para ayudarme a gestionar mi dinero, incluyendo los impuestos. Durante la pasada década no había ganado suficiente como para tener que pagarlos. El hecho de que ahora tuviera que empezar a hacerlo era muy importante para mí.

Cuando eres un sin techo o estás vendiendo *The Big Issue* sabes que no contribuyes a la sociedad —y que, en consecuencia, la sociedad te lo echa en cara—. Hay mucha gente que disfruta recordándotelo y recriminándote. «Búscate un trabajo, gorrón caradura», había sido una de las frases que más tuve que oír durante una década. El resultado es que te vuelves gradualmente más marginado por esa sociedad. La gente no comprende que la falta de autoestima y esperanza que sientes cuando eres un mendigo, estás tocando en las calles o vendiendo ejemplares de *The Big Issue* es, en parte, debido a eso. Quieres formar parte de la sociedad, pero esa sociedad te está, efectivamente, apartando. Y eso se convierte en un círculo vicioso.

Pagar lo que me correspondía era el signo más tangible de que, una vez más, era «un miembro» de la sociedad. Y eso me hacía sentir bien.

Pero también había otros muchos aspectos positivos derivados del éxito del libro.

Para empezar me había ayudado a mejorar mi relación con mis padres. Entre la multitud que se acercó aquella tarde de marzo a la librería Waterstones estaba mi padre, al que había convencido para que acudiera en parte por curiosidad y en parte para que me diera apoyo moral. La desconcertada, y a la vez encantada, mirada de su rostro cuando presenció las colas permanecerá grabada en mi memoria durante mucho, mucho tiempo. Después de todas las decepciones, sentí que le estaba dando algo de lo que podía estar orgulloso. Por fin.

Se conmovió mucho cuando leyó lo que había escrito dándoles las gracias a él y a mi madre en los agradecimientos. Al parecer debió de verter alguna que otra lágrima cuando, ya en su casa, empezó a leer mi libro. Me llamó para felicitarme por el buen trabajo que había hecho y volvió a repetírmelo en varias ocasiones. Aún seguía empeñado en que tenía que cortarme el pelo y afeitarme, por supuesto, pero al menos dejó de insistir en que me buscara «un trabajo como es debido».

No hablamos con demasiado detalle de nuestros sentimientos respecto al pasado. Ese no es su estilo. No es la clase de
persona a quien le gusta tener conversaciones íntimas. Yo creía
saber lo que estaba pensando, pero también sabía que no sería
capaz de expresarlo. Y menos aún de formularlo con palabras,
pero no importaba. Saberlo era suficiente para mí.

Por otra parte, volví a viajar a Australia y pasé un tiempo
con mi madre. Ella también había leído el libro y llorado con
él. Me dijo que se sentía culpable por muchas de las cosas que
habían sucedido, pero fue lo suficientemente sincera para reconocer que, como adolescente, yo era una pesadilla que habría
desafiado a la más santa de las madres. Tuve que admitirlo.

Fuimos abiertos y sinceros el uno con el otro y compren-
dimos que, a partir de ahora, seríamos buenos amigos.

Otro aspecto satisfactorio del éxito del libro fue el impacto que pareció tener en la actitud de la gente hacia los vendedores de *The Big Issue* y los mendigos en general. Muchos cole-
gios e instituciones de caridad escribieron contándome cómo
la historia de Bob y mía les había ayudado a entender mejor la
situación de los sin techo.

Bob y yo estábamos en Facebook y en Twitter. Cada día
recibíamos un mensaje de alguien explicando cómo ya no pasaba de largo delante de los vendedores de *The Big Issue*. Muchos
de ellos me contaban que ahora se detenían expresamente para
hablar con ellos. Sabía que había tenido mis problemas con la
revista, pero me sentía muy orgulloso por esa contribución. Es
una buena institución que merece el apoyo de todo el mundo,
especialmente en estos oscuros tiempos de crisis económica.

En un nivel más profundo, nuestra historia también parecía haber conectado con gente que estaba pasando por momentos difíciles en sus vidas. Cientos de ellos me escribieron o

contactaron conmigo a través de las redes sociales. Algunos habían leído nuestra historia de supervivencia extrayendo su propia fuerza de ella. Otros reconocían el poder de los animales para ayudar a curar a los humanos. Una y otra vez me sentía muy orgulloso cada vez que recibía un mensaje de este tipo. Nunca, ni en un millón de años, hubiera esperado llegar a conmover a una persona, y mucho menos a miles.

Algunas personas llevaron la historia demasiado lejos, confiriendo una especie de estatus de divinidad a Bob y a mí. Bob puede que fuera un santo, pero yo no lo era, eso seguro. No puedes pasar una década luchando por la supervivencia diaria en las calles de Londres sin verte influenciado por su entorno. No puedes vivir un tramo de tu vida dependiendo de la heroína sin acabar dañado por la experiencia. Yo era un fruto de mi pasado.

Por eso sabía que me llevaría mucho tiempo alisar los ásperos pliegues de mi personalidad y que nunca me desprendería totalmente de mi pasado, sobre todo porque la gente siempre acabaría recordándome mis años perdidos. Físicamente aún arrastraba las cicatrices de mi drogadicción en la década de mis veinte años. El castigo que había infligido a mi cuerpo continuaría cobrándose su precio. En resumen, San James de Tottenham no existía. Nunca lo había hecho y nunca lo haría. La persona que definitivamente sí existía, sin embargo, era alguien al que se le había dado una segunda oportunidad en la vida y que estaba decidida a aferrarse a ella. Y si alguna vez perdía eso de vista, ahora tenía un montón de recordatorios de lo mucho que significaba tener una segunda oportunidad.

Recientemente he recibido una carta de una señora de una pequeña localidad rural de Gales cuya amiga íntima acababa de perder su lucha contra el cáncer. La señora le había dado nuestro libro a su amiga durante sus últimos días. Esta se había sentido tan emocionada que, a su vez, le había pasado un ejemplar al reverendo de su localidad. Durante su sermón en el funeral celebrado en la pequeña capilla del pueblo, el reverendo había sostenido una copia de nuestro libro delante de la congregación. Mencionó lo mucho que el libro había significado para esa mujer al final de su vida y elogió nuestro «maravilloso viaje a la esperanza». Bob y yo éramos, dijo, un ejemplo del poder de «la fe, la esperanza y el amor». Al leerlo mis ojos se llenaron de lágrimas. Era increíblemente conmovedora. Pensé en ella durante días.

Durante un montón de años, esas tres preciadas virtudes —fe, esperanza y amor— habían escaseado en mi vida. Pero entonces un giro del destino me envió las tres de golpe. Todas ellas estaban encarnadas en el travieso, juguetón, astuto y, ocasionalmente, cascarrabias, pero siempre devoto gato que me había ayudado a dar un vuelco a mi vida.

Bob había contribuido a que recuperara la fe en mí mismo y en el mundo que me rodea. Me había mostrado esperanza cuando yo era incapaz de verla. Pero, por encima de todo, me había dado el amor incondicional que cada uno de nosotros necesita.

Durante una de mis apariciones en televisión en la BBC, un presentador me hizo una pregunta que, así de primeras, me descolocó:

«¿Qué piensa hacer cuando Bob ya no esté a su lado?».

Por un momento me conmoví ante la sola idea de perderlo, pero una vez que conseguí rehacerme, le contesté lo más sinceramente que pude. Dije que sabía que los animales no vivían tanto como los humanos, pero que disfrutaría de cada pequeño instante del día que compartiera con él. Y cuando llegara el momento de que me dejara, él seguiría viviendo en los libros que me había inspirado.

Tal vez fueran las palabras más sinceras que haya pronunciado nunca.

El mundo tal y como era antes de conocer a Bob parecía áspero, sin corazón y, desde luego, un lugar sin esperanza. Sin embargo, el mundo que he aprendido a contemplar a través de sus ojos es muy diferente. Hubo un tiempo en que no era capaz de distinguir un día del siguiente. Ahora, disfruto de cada día. Me siento más feliz, sano y colmado de lo que he estado nunca. Por ahora al menos he escapado de la vida en las calles. Y puedo ver claramente el camino delante de mí.

No tengo ni idea de a dónde nos llevará nuestra aventura de ahora en adelante. Pero sé que mientras siga conmigo, Bob estará en el centro de todas las cosas buenas que me sucedan. Es mi compañero, mi mejor amigo, mi maestro y mi alma gemela. Y seguirá siendo todas esas cosas. Siempre.

AGRADECIMIENTOS

Este libro es fruto de un proceso de colaboración, por lo que quisiera dar las gracias al increíble equipo, lleno de talento, y a la gente que me ha apoyado y ayudado a cruzar la línea de meta. A Garry Jenkins, la mano más importante que me ha guiado, por su habilidad para extraer las historias y dar forma al manuscrito. Muchas gracias a Rowena Webb y Maddy Prince junto con Ciara Foley, de Hodder, por editar el libro. También quiero destacar a las brillantes publicistas Emma Knight, Kerry Hood y Emilie Ferguson. Y un millón de gracias a Dan Williams por sus magníficas ilustraciones. Estaré siempre en deuda con mi fantástica agente Mary Pachnos de Aitken Alexander, así como con el equipo de Sally Riley, Nishta Hurry, Liv Stones y Matilda Forbes-Watson. Gracias también a Joaquim Fernandes de Aitken Alexander y a Raymond Walters de R Walters & Co por su increíble ayuda y consejos. Y ya más cerca de casa querría dar las gracias a mis íntimos amigos Kitty y Ron, por estar a mi lado a lo largo de lo que ha sido un año bastante caótico. Ha habido algunos momentos difíciles, pero ellos han permanecido firmes y leales y les debo mucho más de lo que puedo expresar. Así mismo me gustaría dar las gracias a mi madre y a mi padre por su amor y apoyo, no solo durante el pasado año sino durante los años más oscuros y difíciles en los que estuve, lo reconozco, muy lejos de ser un hijo ejemplar. No puedo dejar pasar esta oportunidad sin dar las gracias a las legiones de personas que me han escrito, ya sea directamente o a través de alguna red social, enviándome sus buenos deseos y compartiendo sus experiencias. He hecho cuanto he podido para responder al mayor número posible, pero confío en que sepáis perdonarme si no he conseguido contestar a todos y cada uno de vosotros. La respuesta, en ocasiones, ha sido abrumadora. Pero sobre todo, y por descontado, quiero dar las gracias al pequeño amigo que continua siendo mi fiel compañero. Aún no sé si yo encontré a Bob o él me encontró a mí. Pero lo que sí sé es que sin él estaría totalmente perdido.

JAMES BOWEN